S0-AFE-483

LES MISÉRABLES

COSETTE
TOME 2

VICTOR HUGO

LES MISÉRABLES

COSETTE
TOME 2

Illustrations :
Jean-Claude Götting

Certaines œuvres littéraires peuvent, par leur ampleur, sembler difficilement accessibles à de jeunes lecteurs. Ni adaptation, ni résumé, ce livre propose une version abrégée du texte original : les coupures y sont effectuées de manière à laisser intacts le ton et le style de l'auteur.

© Hachette Livre, 1996, 2002 pour la présente édition.

8

De la manière d'entrer au couvent

Ce couvent du 62 de la petite rue Picpus qui, en 1824, existait depuis de longues années était une communauté de bernardines[1]. Il y avait dans cette enceinte du Petit-Picpus trois bâtiments parfaitement distincts, le grand couvent qu'habitaient les religieuses, le pensionnat où logeaient les élèves, et enfin ce qu'on appelait le petit couvent, un corps de logis avec jardin.

C'est dans cette maison que Jean Valjean était, comme avait dit Fauchelevent, « tombé du ciel ».

Une fois Cosette couchée, Jean Valjean et Fauchelevent avaient soupé d'un verre de vin et d'un morceau de fromage devant un bon fagot flambant ; puis, le seul

---

1. Religieuses de l'ordre de Saint-Benoît.

lit qu'il y eût dans la baraque étant occupé par Cosette, ils s'étaient jetés chacun sur une botte de paille. Avant de fermer les yeux, Jean Valjean avait dit : Il faut désormais que je reste ici. Cette parole avait trotté toute la nuit dans la tête de Fauchelevent.

À vrai dire, ni l'un ni l'autre n'avaient dormi.

Jean Valjean, se sentant découvert et Javert sur sa piste, comprenait que lui et Cosette étaient perdus s'ils rentraient dans Paris. Puisque le nouveau coup de vent qui venait de souffler sur lui l'avait échoué dans ce cloître, Jean Valjean n'avait plus qu'une pensée, y rester. Or, pour un malheureux dans sa position, ce couvent était à la fois le lieu le plus dangereux et le plus sûr ; le plus dangereux, car, aucun homme ne pouvant y pénétrer, si on l'y découvrait, c'était un flagrant délit, et Jean Valjean ne faisait qu'un pas du couvent à la prison ; le plus sûr, car si l'on parvenait à s'y faire accepter et à y demeurer, qui viendrait vous chercher là ? Habiter un lieu impossible, c'était le salut.

De son côté, Fauchelevent se creusait la cervelle. Comment M. Madeleine se trouvait-il là, avec les murs qu'il y avait ? Des murs de cloître ne s'enjambent pas. Comment s'y trouvait-il avec un enfant ? On n'escalade pas une muraille à pic avec un enfant dans les bras. Qu'était-ce que cet enfant ? D'où venaient-ils, tous les deux ? Depuis que Fauchelevent était dans le couvent, il n'avait plus entendu parler de Montreuil-sur-Mer, et ne savait rien de ce qui s'était passé. On ne questionne pas un saint. M. Madeleine avait conservé pour lui tout son prestige. Seulement, de quelques mots échappés à Jean Valjean, le jardinier crut pouvoir conclure que M. Madeleine avait probablement fait faillite par la dureté des temps, et qu'il était poursuivi par ses créanciers[1] ; ou bien qu'il était compromis dans une affaire politique et qu'il se cachait ; ce qui ne déplut point à Fauchelevent, lequel, comme beaucoup de nos paysans du nord, avait un vieux fond bonapartiste[2]. Se cachant, M. Madeleine avait pris le couvent pour asile, et il était simple qu'il voulût y rester. Mais l'inexplicable, où Fauchelevent revenait toujours et où il se cassait la tête, c'était que M. Madeleine fût là, et qu'il y fût avec cette petite. Fauchelevent les voyait, les touchait, leur parlait, et n'y croyait pas. Fauchelevent ne voyait plus rien de clair sinon ceci : M. Madeleine m'a sauvé la vie. Maintenant c'est mon tour.

Mais le faire rester dans le couvent, quel problème ! Devant cette tentative presque chimérique, Fauchelevent ne recula point ; ce pauvre paysan picard, sans autre échelle que son dévouement, sa bonne volonté, et un peu de cette vieille finesse campagnarde mise cette fois au service d'une intention généreuse, entre-

---

1. Ceux à qui l'on doit de l'argent.
2. Les bonapartistes, nostalgiques de Napoléon Ier, s'opposaient au gouvernement monarchique alors en place.

prit d'escalader les impossibilités du cloître et les rudes escarpements[1] de la règle de Saint-Benoît.

Au point du jour, ayant énormément songé, le père Fauchelevent ouvrit les yeux et vit M. Madeleine qui, assis sur sa botte de paille, regardait Cosette dormir.

— Maintenant que vous êtes ici, comment allez-vous faire pour y entrer ?

Ce mot résumait la situation et réveilla Jean Valjean de sa rêverie.

— D'abord, dit Fauchelevent, vous allez commencer par ne pas mettre les pieds hors de cette chambre, la petite ni vous. Un pas dans le jardin, nous sommes flambés[2].

— C'est juste.

— Monsieur Madeleine, reprit Fauchelevent, vous êtes arrivé dans un moment très bon, je veux dire très mauvais, il y a une de ces dames fort malade. Cela fait qu'on ne regardera pas beaucoup de notre côté. Il paraît qu'elle se meurt. On dit des prières de quarante heures. Toute la communauté est en l'air. Ça les occupe. Celle qui est en train de s'en aller est une sainte. Mais il y a les petites.

— Quelles petites ? demanda Jean Valjean.

Comme Fauchelevent ouvrait la bouche pour expliquer le mot qu'il venait de prononcer, une cloche sonna un coup.

— La religieuse est morte, dit-il. Voici le glas. La

---

1. Difficultés.
2. Perdus.

cloche va continuer de minute en minute pendant vingt-quatre heures jusqu'à la sortie du corps de l'église. Voyez-vous, ça joue. Aux récréations il suffit qu'une balle roule pour qu'elles s'en viennent, malgré les défenses, chercher et fourbanser[1] partout par ici. C'est des diables, ces chérubins-là.

— Je comprends, père Fauchelevent. Il y a des pensionnaires.

— Pardine ! s'il y a des petites filles ! Et qui piailleraient autour de vous ! et qui se sauveraient ! Ici, être homme, c'est avoir la peste. Vous voyez bien qu'on m'attache un grelot à la patte comme à une bête féroce.

Jean Valjean songeait de plus en plus profondément. – Ce couvent nous sauverait, murmurait-il. Puis il éleva la voix :

— Oui, le difficile, c'est de rester.

— Non, dit Fauchelevent, c'est de sortir. Oui, monsieur Madeleine, pour rentrer, il faut que vous sortiez. On ne peut pas vous trouver ici comme ça. Pour moi vous tombez du ciel, parce que je vous connais ; mais des religieuses, ça a besoin qu'on entre par la porte.

Tout à coup on entendit une sonnerie assez compliquée d'une autre cloche.

— Ah ! dit Fauchelevent, on sonne les mères vocales[2]. Elles vont au chapitre[3]. Mais est-ce que vous ne pourriez pas sortir par où vous êtes entré ?

---

1. Mettre en désordre (argot).
2. Religieuses qui chantent à l'office.
3. Assemblée de religieuses.

Jean Valjean devint pâle. Il se figurait toute la police encore grouillante dans le quartier, des agents en observation, des vedettes partout, d'affreux poings tendus vers son collet[1], Javert peut-être au coin du carrefour.

— Impossible ! dit-il. Père Fauchelevent, mettez que je suis tombé de là-haut.

— Mais je le crois, je le crois, repartit Fauchelevent. Vous n'avez pas besoin de me le dire. Comment se nomme votre petite ?

— Cosette.

— C'est votre fille ? comme qui dirait : vous seriez son grand-père ?

— Oui.

— Pour elle, sortir d'ici, ce sera facile. J'ai ma porte de service qui donne sur la cour. Je cogne. Le portier ouvre. J'ai ma hotte sur le dos, la petite est dedans. Je sors. Le père Fauchelevent sort avec sa hotte, c'est tout simple. Vous direz à la petite de se tenir tranquille. Elle sera sous la bâche. Je la déposerai le temps qu'il faudra chez une vieille bonne amie de fruitière[2] que j'ai rue du Chemin-Vert, qui est sourde et où il y a un petit lit. Je crierai dans l'oreille de la fruitière que c'est une nièce à moi, et de me la garder jusqu'à demain. Puis la petite rentrera avec vous. Car je vous ferai entrer. Il le faudra bien. Mais vous, comment ferez-vous pour sortir ?

---

1. Col.
2. Ici, marchande de fruits.

Jean Valjean hocha la tête.

— Que personne ne me voie, tout est là, père Fauchelevent. Trouvez moyen de me faire sortir comme Cosette dans une hotte et sous une bâche.

Fauchelevent se grattait le bas de l'oreille avec le médius de la main gauche, signe de sérieux embarras.

Une troisième sonnerie fit diversion.

— Voici le médecin des morts qui s'en va, dit Fauchelevent. Quand le médecin a visé le passeport pour le paradis, les pompes funèbres envoient une bière[1]. Si c'est une mère, les mères l'ensevelissent ; si c'est une sœur, les sœurs l'ensevelissent. Après quoi, je cloue. Cela fait partie de mon jardinage. Un jardinier est un peu fossoyeur. On la met dans une salle basse de l'église qui communique à la rue et où pas un homme ne peut entrer que le médecin des morts. Je ne compte pas pour des hommes les croque-morts et moi. C'est dans cette salle que je cloue la bière. Les croque-morts viennent la prendre, et fouette cocher ! c'est comme cela qu'on s'en va au ciel. On apporte une boîte où il n'y a rien, on la remporte avec quelque chose dedans. Voilà ce que c'est qu'un enterrement. *De profundis*[2].

Jean Valjean s'était mis à regarder Cosette. Il n'écoutait plus Fauchelevent.

N'être pas écouté, ce n'est pas une raison pour se taire. Le brave vieux jardinier continuait paisiblement son rabâchage.

---

1. Cercueil.
2. Début d'un psaume : « Des profondeurs j'ai crié vers Toi... »

— On fait la fosse au cimetière Vaugirard. On prétend qu'on va le supprimer, ce cimetière Vaugirard.

Une quatrième sonnerie éclata, Fauchelevent détacha vivement du clou la genouillère à grelot et la reboucla à son genou.

— Cette fois, c'est moi. La mère prieure[1] me demande.

Et il sortit de la cahute en disant : On y va ! on y va !

Le jardinier fit un salut craintif, et resta sur le seuil de la cellule. La prieure, mère Innocente qui égrenait son rosaire[2], leva les yeux et dit :

— Ah ! c'est vous, père Fauvent.

Cette abréviation avait été adoptée dans le couvent.

— Père Fauvent, je vous ai fait appeler. J'ai à vous parler.

— Et moi, de mon côté, dit Fauchelevent avec une hardiesse dont il avait peur intérieurement, j'ai quelque chose à dire à la très révérende mère.

La prieure le regarda.

— Eh bien, parlez.

Le bonhomme Fauchelevent, ex-tabellion[3], appartenait à la catégorie des paysans qui ont de l'aplomb. Une certaine ignorance habile est une force ; on ne s'en défie pas et cela vous prend. Depuis un peu plus de deux ans qu'il habitait le couvent. Fauchelevent

_____
1. Supérieure d'un prieuré.
2. Chapelet que l'on égrène en récitant des prières.
3. Personne qui pouvait remplacer un notaire.

avait réussi dans la communauté. Toujours solitaire, et tout en vaquant à son jardinage, il n'avait guère autre chose à faire que d'être curieux. À distance comme il était de toutes ces femmes voilées allant et venant, il ne voyait guère devant lui qu'une agitation d'ombres. À force d'attention et de pénétration[1], il était parvenu à remettre de la chair dans tous ces fantômes, et ces mortes vivaient pour lui. Il était comme un sourd dont la vue s'allonge et comme un aveugle dont l'ouïe s'aiguise. Il s'était appliqué à démêler le sens des diverses sonneries, et il y était arrivé, de sorte que ce cloître énigmatique et taciturne n'avait rien de caché pour lui ; ce sphinx lui bavardait tous ses secrets à l'oreille. Fauchelevent, sachant tout, cachait tout. C'était là son art. Tout le couvent le croyait stupide. Grand mérite en religion. Les mères vocales faisaient cas de Fauchelevent. C'était un curieux muet. Il inspirait la confiance. En outre, il était régulier, et ne sortait que pour les nécessités démontrées du verger et du potager. Cette discrétion d'allures lui était comptée. Il n'en avait pas moins fait jaser deux hommes ; au couvent, le portier, et il savait les particularités du parloir ; et, au cimetière, le fossoyeur, et il savait les singularités de la sépulture ; de la sorte, il avait, à l'endroit de ces religieuses, une double lumière, l'une sur la vie, l'autre sur la mort. Mais il n'abusait de rien. La congrégation tenait à lui. Vieux, boiteux, n'y

---

1. Intelligence.

voyant goutte, probablement un peu sourd, que de qualités ! On l'eût difficilement remplacé.

Le bonhomme, avec l'assurance de celui qui se sent apprécié, parla longuement de son âge, de ses infirmités, des exigences croissantes du travail, de la grandeur du jardin, il finit par aboutir à ceci : qu'il avait un frère, – (la prieure fit un mouvement) – un frère point jeune, – (second mouvement de la prieure, mais mouvement rassuré) – que, si on le voulait bien, ce frère pourrait venir loger avec lui et l'aider, qu'il était excellent jardinier, que, autrement, si l'on n'admettait point son frère, comme lui, l'aîné, il se sentait cassé, et insuffisant à la besogne, il serait, avec bien du regret, obligé de s'en aller ; – et que son frère avait une petite fille qu'il amènerait avec lui, qui s'élèverait en Dieu dans la maison, et qui peut-être, qui sait ? ferait une religieuse un jour.

Quant il eut fini de parler, la prieure interrompit le glissement de son rosaire entre ses doigts, et lui dit :

— Pourriez-vous, d'ici à ce soir, vous procurer une forte barre de fer ?

— Pour quoi faire ?

— Pour servir de levier.

— Oui, révérende mère, répondit Fauchelevent.

La prieure, sans ajouter une parole, se leva, et entra dans la chambre voisine, qui était la salle du chapitre et où les mères vocales étaient probablement assemblées. Fauchelevent demeura seul.

Un quart d'heure environ s'écoula. La prieure rentra et revint s'asseoir sur la chaise. Les deux interlocuteurs semblaient préoccupés.

— Père Fauvent ?

— Révérende mère ?

— Vous connaissez la chapelle ? Il s'agit de soulever une pierre. La dalle du pavé qui est à côté de l'autel.

— La pierre qui ferme le caveau ?

— Oui.

— C'est là une occasion où il serait bon d'être deux hommes.

— La mère Ascension, qui est forte comme un homme, vous aidera.

— Et une femme n'est pas un homme. C'est mon frère qui est fort !

— Et puis vous aurez un levier car il y a un anneau de pierre.

— J'y passerai le levier.

— Et la pierre est arrangée de façon à pivoter.

— C'est bien, révérende mère. J'ouvrirai le caveau.

— Et les quatre mères chantres[1] vous assisteront.

— Et quand le caveau sera ouvert ?

— Il faudra le refermer.

— Sera-ce tout ?

— Non. Fauvent, nous avons confiance en vous. Quand le caveau sera ouvert... il faudra y descendre quelque chose.

---

1. Qui chantent à l'office.

Il y eut un silence. La prieure, après une moue de la lèvre inférieure qui ressemblait à de l'hésitation, le rompit.

— Père Fauvent ?

— Révérende mère ?

— Vous savez qu'une mère est morte ce matin. C'est la mère Crucifixion. Une bienheureuse.

La prieure se tut, remua un moment les lèvres, comme pour une oraison[1] mentale, et reprit :

— Les mères l'ont portée dans la chambre des mortes qui donne dans l'église. De son vivant, mère Crucifixion faisait des conversions ; après sa mort, elle fera des miracles.

— Elle en fera ! répondit Fauchelevent emboîtant le pas.

— Elle couchait dans son cercueil depuis vingt ans, par permission expresse de notre saint-père Pie VII. Père Fauvent, la mère Crucifixion sera ensevelie dans le cercueil où elle a couché depuis vingt ans.

— C'est juste. J'aurai donc à la clouer dans ce cercueil-là ? Et nous laisserons de côté la bière des pompes ?

— Précisément.

— Je suis aux ordres de la très révérende communauté.

— Les quatre mères chantres vous aideront.

— À clouer le cercueil ? Je n'ai pas besoin d'elles.

---

1. Prière.

— Non. À le descendre dans le caveau sous l'autel.

Fauchelevent fit un soubresaut.

— Le caveau sous l'autel !

— Sous l'autel. Il faut obéir aux morts. Être enterrée dans le caveau sous l'autel de la chapelle, ç'a été le vœu suprême de la mère Crucifixion.

— Mais c'est défendu.

— Défendu par les hommes, ordonné par Dieu.

— Si cela venait à se savoir ?

— Nous avons confiance en vous.

— Oh, moi, je suis une pierre de votre mur.

La prieure respira, puis se tourna vers Fauchelevent :

— Père Fauvent, est-ce dit ?

— C'est dit, révérende mère.

— Peut-on compter sur vous ?

— J'obéirai. Je suis tout dévoué au couvent.

— C'est entendu. Vous fermerez le cercueil. Les sœurs le porteront dans la chapelle. On dira l'office des morts. Puis on rentrera dans le cloître. Entre onze heures et minuit, vous viendrez avec votre barre de fer. Tout se passera dans le plus grand secret. Il n'y aura dans la chapelle que les quatre mères chantres, la mère Ascension, et vous.

Il y eut encore une pause. La prieure poursuivit :

— Vous ôterez votre grelot. Il est inutile que la sœur au poteau[1] s'aperçoive que vous êtes là.

_____

1. La sœur portière.

— Révérende mère ?

— Quoi ?

— Si jamais vous aviez d'autres ouvrages comme ça, c'est mon frère qui est fort. Un Turc !

— Vous ferez le plus vite possible.

— Je ne vais pas hardi vite. Je suis infirme ; c'est pour cela qu'il me faudrait un aide. Je boite.

— Père Fauvent, j'y pense, prenons une heure entière. Ce n'est pas trop. Soyez près du maître-autel avec votre barre de fer à onze heures. L'office commence à minuit. Il faut que tout soit fini un bon quart d'heure auparavant.

— Je ferai tout pour prouver mon zèle à la communauté. Voilà qui est dit. Je clouerai le cercueil. À onze heures précises je serai dans la chapelle. Les mères chantres y seront, la mère Ascension y sera. Deux hommes, cela vaudrait mieux. Enfin, n'importe ! J'aurai mon levier. Nous ouvrirons le caveau, nous descendrons le cercueil, et nous refermerons le caveau. Après quoi, plus trace de rien. Le gouvernement ne s'en doutera pas. Révérende mère, tout est arrangé ainsi ?

— Non.

— Qu'y a-t-il donc encore ?

— Il reste la bière vide.

Ceci fit un temps d'arrêt. Fauchelevent songeait. La prieure songeait.

— Père Fauvent, que fera-t-on de la bière ?

— On la portera en terre.

— Vide ?

— Révérende mère, je mettrai de la terre dans la bière. Cela fera l'effet de quelqu'un. J'en fais mon affaire.

Le visage de la prieure, jusqu'alors trouble et obscur, se rasséréna[1]. Elle lui fit le signe du supérieur congédiant l'inférieur. Fauchelevent se dirigea vers la porte. Comme il allait sortir, la prieure éleva doucement la voix.

— Père Fauvent, je suis contente de vous ; demain, après l'enterrement, amenez-moi votre frère, et dites-lui qu'il m'amène sa fille.

---

1. S'apaisa.

9

Où Jean Valjean se fait enterrer vivant

Au bruit de Fauchelevent poussant la porte, Jean Valjean se retourna.

— Eh bien ?

— Tout est arrangé, et rien ne l'est, dit Fauchelevent. J'ai permission de vous faire entrer ; mais avant de vous faire entrer, il faut vous faire sortir. C'est là qu'est l'embarras de charrettes. Pour la petite, c'est aisé.

— Vous l'emporterez ?

— Et elle se taira ?

— J'en réponds.

— Mais vous, père Madeleine ?

Et, après un silence où il y avait de l'anxiété, Fauchelevent s'écria :

— Mais sortez donc par où vous êtes entré !

Jean Valjean se borna à répondre :

— Impossible.

Fauchelevent, se parlant plus à lui-même qu'à Jean Valjean, grommela :

— Il y a une autre chose qui me tourmente. J'ai dit que j'y mettrais de la terre. Ça n'ira pas, ça se déplacera, ça remuera. Les hommes le sentiront. Vous comprenez, père Madeleine, le gouvernement s'en apercevra.

Jean Valjean le considéra entre les deux yeux, et crut qu'il délirait.

Fauchelevent reprit :

— Comment diantre allez-vous sortir ? C'est qu'il faut que tout cela soit fait demain ! C'est demain que je vous amène. La prieure vous attend.

Alors il expliqua à Jean Valjean que c'était une récompense pour un service que lui, Fauchelevent, rendait à la communauté. Qu'il entrait dans ses attributions de participer aux sépultures, qu'il clouait les bières et assistait le fossoyeur au cimetière. Que la religieuse morte le matin avait demandé d'être ensevelie dans le cercueil qui lui servait de lit et enterrée dans le caveau sous l'autel de la chapelle. Que cela était défendu par les règlements de police[1], mais que c'était une de ces mortes à qui l'on ne refuse rien. Que lui Fauchelevent clouerait le cercueil dans la cellule, lève-

1. Pour des raisons de santé publique, on n'enterrait plus *ad sanctos* (« près des saints ») à l'intérieur des édifices religieux.

rait la pierre dans la chapelle, et descendrait la morte dans le caveau. Et que, pour le remercier, la prieure admettait dans la maison son frère comme jardinier et sa nièce comme pensionnaire. Que son frère, c'était M. Madeleine, et que sa nièce c'était Cosette. Que la prieure lui avait dit d'amener son frère le lendemain soir, après l'enterrement postiche au cimetière. Mais qu'il ne pouvait pas amener du dehors M. Madeleine, si M. Madeleine n'était pas dehors. Que c'était là le premier embarras. Et puis qu'il avait encore un embarras, la bière vide.

— Qu'est-ce que c'est que la bière vide ? demanda Jean Valjean.

Fauchelevent répondit :

— Une religieuse meurt. Le gouvernement envoie une bière. Le lendemain il envoie un corbillard et des croque-morts pour reprendre la bière et la porter au cimetière. Les croque-morts viendront et soulèveront la bière ; il n'y aura rien dedans.

— Mettez-y quelque chose.

— Quoi donc ?

— Moi, dit Jean Valjean.

Fauchelevent, qui s'était assis, se leva comme si un pétard fût parti sous sa chaise.

— Vous !

— Pourquoi pas ?

Jean Valjean poursuivit :

— Il s'agit de sortir d'ici sans être vu. C'est un moyen.

Ce qui semblait inouï à Fauchelevent était simple pour Jean Valjean. Jean Valjean avait traversé de pires détroits. Se faire clouer et emporter dans une caisse comme un colis, vivre longtemps dans une boîte, trouver de l'air où il n'y en a pas, économiser sa respiration des heures entières, savoir étouffer sans mourir, c'était là un des sombres talents de Jean Valjean.

Fauchelevent, un peu revenu à lui, s'écria :

— Mais comment ferez-vous pour respirer ?

— Je respirerai.

— Dans cette boîte ! Moi, seulement d'y penser, je suffoque.

— Vous avez bien une vrille, vous ferez quelques petits trous autour de la bouche çà et là, et vous clouerez sans serrer la planche de dessus.

— Bon ! et s'il vous arrive de tousser ou d'éternuer ?

— Celui qui s'évade ne tousse pas et n'éternue pas.

Et Jean Valjean ajouta :

— Père Fauchelevent, il faut se décider : ou être pris ici, ou accepter la sortie par le corbillard.

Fauchelevent avait une nature hésitante. Pourtant le sang-froid de Jean Valjean le gagnait malgré lui. Il grommela :

— Au fait, c'est qu'il n'y pas d'autre moyen.

Jean Valjean reprit :

— La seule chose qui m'inquiète, c'est ce qui se passera au cimetière.

— C'est justement cela qui ne m'embarrasse pas,

s'écria Fauchelevent. Si vous êtes sûr de vous tirer de la bière, moi je suis sûr de vous tirer de la fosse. Le fossoyeur est un ivrogne de mes amis.

Le soleil n'était pas encore couché quand, le lendemain, le corbillard au drap blanc et à la croix noire entra dans l'avenue du cimetière Vaugirard. L'homme boiteux qui le suivait n'était autre que Fauchelevent.

L'enterrement de la mère Crucifixion dans le caveau sous l'autel, la sortie de Cosette, l'introduction de Jean Valjean dans la salle des mortes, tout s'était exécuté sans encombre.

Le corbillard s'arrêta.

L'enfant de chœur descendit de la voiture drapée, puis le prêtre.

Qui était dans la bière ? On le sait, Jean Valjean.

Jean Valjean s'était arrangé pour vivre là-dedans, et il respirait à peu près.

Peu après que Fauchelevent eut achevé de clouer la planche de dessus, Jean Valjean s'était senti emporter, puis rouler. À moins de secousses, il avait senti qu'on passait du pavé à la terre battue, c'est-à-dire qu'on quittait les rues et qu'on arrivait aux boulevards. À un bruit sourd, il avait deviné qu'on traversait le pont d'Austerlitz. Au premier temps d'arrêt, il avait compris qu'on entrait dans le cimetière ; au second temps d'arrêt, il s'était dit : voici la fosse.

Brusquement il sentit que des mains saisissaient la bière, puis un frottement rauque sur les planches ; il se rendit compte que c'était une corde qu'on nouait

autour du cercueil pour le descendre dans l'excava-
tion.

Puis il eut une espèce d'étourdissement.

Il songea : Cela va être fini. Encore un peu de
patience. Le prêtre va s'en aller. Fauchelevent emmè-
nera le fossoyeur boire. On me laissera. Puis Fauchelevent reviendra seul et je sortirai. Ce sera l'affaire
d'une bonne heure.

Tout à coup il entendit sur sa tête un bruit qui lui
sembla la chute du tonnerre.

C'était une pelletée de terre qui tombait sur le cercueil.

Une seconde pelletée de terre tomba.

Un des trous par où il respirait venait de se boucher.

Une troisième pelletée de terre tomba.

Puis une quatrième.

Voici ce qui se passait au-dessus de la bière où était
Jean Valjean.

Quand le corbillard se fut éloigné, quand le prêtre
et l'enfant de chœur furent remontés en voiture et par-
tis, Fauchelevent, qui ne quittait pas des yeux le fossoyeur, le vit se pencher et empoigner sa pelle.

Alors Fauchelevent prit une résolution suprême.

Il se plaça entre la fosse et le fossoyeur, croisa les
bras, et dit :

— C'est moi qui paye !

Le fossoyeur le regarda avec étonnement, et répondit :

— Quoi, paysan ?

Et il jeta une pelletée de terre sur le cercueil.

Fauchelevent continua :

— Écoutez-moi, camarade. Je suis le fossoyeur du couvent, je viens pour vous aider. C'est une besogne qui peut se faire la nuit. Commençons donc par aller boire un coup.

— Provincial, dit le fossoyeur, si vous le voulez absolument, j'y consens. Nous boirons. Après l'ouvrage, jamais avant.

Et il lança la seconde pelletée.

Fauchelevent arrivait à ce moment où l'on ne sait plus ce qu'on dit.

— Mais venez donc boire, cria-t-il, puisque c'est moi qui paye !

Le fossoyeur jeta la troisième pelletée.

Puis il enfonça la pelle dans la terre.

En ce moment, tout en chargeant sa pelle, le fossoyeur se courbait, et la poche de sa veste bâillait.

Le regard égaré de Fauchelevent tomba machinalement dans cette poche, et s'y arrêta.

Le soleil n'était pas encore caché par l'horizon ; il faisait assez de jour pour qu'on pût distinguer quelque chose de blanc au fond de cette poche.

Sans que le fossoyeur, tout à sa pelletée de terre, s'en aperçût, Fauchelevent lui plongea par-derrière la main dans la poche, et retira de cette poche la chose blanche qui était au fond.

Le fossoyeur envoya dans la fosse la quatrième pelletée.

Au moment où il se retournait pour prendre la cinquième, Fauchelevent le regarda avec un profond calme et lui dit :

— À propos, avez-vous votre carte ?

Le fossoyeur s'interrompit :

— Quelle carte ?

— La grille du cimetière va se fermer.

— Eh bien, après ?

— Avez-vous votre carte ?

— Ah, ma carte ! dit le fossoyeur.

Et il fouilla dans sa poche.

Une poche fouillée, il fouilla l'autre.

— Mais non, dit-il, je n'ai pas ma carte. Je l'aurai oubliée.

— Quinze francs d'amende, dit Fauchelevent.

Le fossoyeur devint vert.

— Ah Jésus-mon-Dieu-bancroche-à-bas-lune ! s'écria-t-il. Quinze francs d'amende !

— Trois pièces, cent sous[1], dit Fauchelevent.

Le fossoyeur laissa tomber sa pelle.

Le tour de Fauchelevent était venu.

— Ah çà, dit Fauchelevent, pas de désespoir. Je vais vous donner un conseil d'ami. Une chose est claire, c'est que le soleil se couche, le cimetière va fermer dans cinq minutes.

— C'est vrai, répondit le fossoyeur.

— D'ici à cinq minutes, vous n'avez pas le temps

---

1. Trois pièces de 5 francs, ou cent fois 20 centimes.

de remplir la fosse et d'arriver à temps pour sortir avant que la grille soit fermée.

— C'est juste.

— En ce cas, quinze francs d'amende.

— Quinze francs.

— Mais vous avez le temps... – Où demeurez-vous ?

— À un quart d'heure d'ici.

— Vous avez le temps, en pendant vos guiboles à votre cou, de sortir tout de suite. Une fois hors de la grille, vous galopez chez vous, vous prenez votre carte, vous revenez, le portier du cimetière vous ouvre. Ayant votre carte, rien à payer. Et vous enterrez votre mort. Moi, je vais vous le garder en attendant pour qu'il ne se sauve pas.

Quand le fossoyeur eut disparu dans le fourré, Fauchelevent se pencha vers la fosse et dit à demi-voix :

— Père Madeleine !

Rien ne répondit.

Fauchelevent se laissa rouler dans la fosse plutôt qu'il n'y descendit, se jeta sur la tête du cercueil, prit son ciseau à froid et son marteau, et fit sauter la planche de dessus. La face de Jean Valjean apparut dans le crépuscule, les yeux fermés, pâle.

Les cheveux de Fauchelevent se hérissèrent, il se leva debout, puis tomba adossé à la paroi de la fosse, prêt à s'affaisser sur la bière. Il regarda Jean Valjean.

Jean Valjean gisait, blême et immobile.

Fauchelevent murmura d'une voix basse comme un souffle :

— Il est mort !

On entendit au loin dans les arbres un grincement aigu. C'était la grille du cimetière qui se fermait.

Fauchelevent se pencha sur Jean Valjean et tout à coup eut une sorte de rebondissement et tout le recul qu'on peut avoir dans une fosse. Jean Valjean avait les yeux ouverts et le regardait.

— Je m'endormais, dit Jean Valjean.

Jean Valjean n'était qu'évanoui. Le grand air l'avait réveillé.

10

Interrogatoire réussi

Le lendemain, par la nuit noire, deux hommes et un enfant se présentaient au numéro 62 de la petite rue Picpus. Le plus vieux de ces hommes levait le marteau et frappait.

C'étaient Fauchelevent, Jean Valjean et Cosette.

Les deux bonshommes étaient allés chercher Cosette chez la fruitière de la rue du Chemin-Vert où Fauchelevent l'avait déposée la veille. Cosette avait passé ces vingt-quatre heures à ne rien comprendre et à trembler silencieusement. Elle tremblait tant qu'elle n'avait pas pleuré. Elle n'avait pas mangé non plus, ni dormi. La digne fruitière lui avait fait cent questions, sans obtenir d'autre réponse qu'un regard morne, toujours le même. Cosette n'avait rien laissé transpirer[1] de tout ce qu'elle avait entendu et vu depuis deux jours. Elle devinait qu'on traversait une crise. Elle sentait profondément qu'il fallait « être sage ».

Seulement, quand, après ces lugubres vingt-quatre heures, elle avait revu Jean Valjean, elle avait poussé un tel cri de joie, que quelqu'un de pensif qui l'eût entendu eût deviné dans ce cri la sortie d'un abîme[2].

Fauchelevent était du couvent et savait les mots de passe. Toutes les portes s'ouvrirent.

Ainsi fut résolu le double et effrayant problème : sortir et entrer.

La prieure, son rosaire à la main, les attendait. Une mère vocale, le voile bas, était debout près d'elle. Une chandelle discrète éclairait le parloir.

La prieure passa en revue Jean Valjean. Rien n'examine comme un œil baissé.

Puis elle le questionna :

— C'est vous le frère ?

— Oui, révérende mère, répondit Fauchelevent.

— Comment vous appelez-vous ?

Fauchelevent répondit :

— Ultime Fauchelevent.

Il avait eu en effet un frère nommé Ultime qui était mort.

— Quel âge avez-vous ?

Fauchelevent répondit :

---

1. Laisser voir.
2. Gouffre profond.

— Cinquante ans.

— Quel est votre état ?

Fauchelevent répondit :

— Jardinier.

— Êtes-vous bon chrétien ?

Fauchelevent répondit :

— Tout le monde l'est dans la famille.

— Cette petite est à vous ?

Fauchelevent répondit :

— Oui, révérende mère. Je suis son grand-père.

La mère vocale dit à la prieure à demi-voix :

— Il répond bien.

Jean Valjean n'avait pas prononcé un mot.

La prieure regarda Cosette avec attention et dit à demi-voix à la mère vocale :

— Elle sera laide. Père Fauvent, vous aurez une autre genouillère avec grelot. Il en faut deux maintenant.

Le lendemain en effet on entendait deux grelots et on voyait dans le jardin deux hommes bêcher côte à côte.

Désormais, Jean Valjean s'appelait Ultime Fauchelevent.

La plus forte cause déterminante de l'admission avait été l'observation de la prieure sur Cosette : Elle sera laide.

La prieure, ce pronostic prononcé, prit immédiatement Cosette en amitié, et lui donna place au pensionnat comme élève de charité.

Cosette au couvent continua de se taire.

Cosette se croyait tout naturellement la fille de Jean Valjean. Du reste, ne sachant rien, elle ne pouvait rien dire, et puis, dans tous les cas, elle n'aurait rien dit. Rien ne dresse les enfants au silence comme le malheur. Cosette avait tant souffert qu'elle craignait tout, même de parler, même de respirer. Une parole avait si souvent fait crouler sur elle une avalanche ! À peine commençait-elle à se rassurer depuis qu'elle était à Jean Valjean. Elle s'habitua assez vite au couvent. Seulement elle regrettait Catherine, mais elle n'osait pas le dire. Une fois pourtant elle dit à Jean Valjean :

— Père, si j'avais su, je l'aurais emmenée.

Cosette, en devenant pensionnaire du couvent, dut prendre l'habit des élèves de la maison. Jean Valjean obtint qu'on lui remît les vêtements qu'elle dépouillait[1]. C'était ce même habillement de deuil qu'il lui avait fait revêtir lorsqu'elle avait quitté la gargote Thénardier. Il n'était pas encore très usé. Jean Valjean enferma ces nippes, plus les bas de laine et les souliers, avec force camphre et tous les aromates dont abondent les couvents, dans une petite valise qu'il trouva moyen de se procurer. Il mit cette valise sur une chaise près de son lit, et il en avait toujours la clef sur lui.

Le père Fauchelevent fut récompensé de sa bonne action ; d'abord il en fut heureux ; puis il eut beau-

_____

1. Dont elle se séparait.

coup moins de besogne, la partageant. Enfin comme il aimait beaucoup le tabac, il trouvait à la présence de M. Madeleine cet avantage qu'il prenait trois fois plus de tabac que par le passé, et d'une manière infiniment plus voluptueuse, attendu que M. Madeleine le lui payait.

Les religieuses n'adoptèrent point le nom d'Ultime ; elles appelèrent Jean Valjean *l'autre Fauvent*.

Si ces saintes filles avaient eu quelque chose du regard de Javert, elles auraient pu finir par remarquer que, lorsqu'il y avait quelque course à faire au-dehors pour l'entretien du jardin, c'était toujours Fauchelevent, le vieux, l'infirme, le bancal, qui sortait, et jamais l'autre ; mais, soit que les yeux toujours fixés sur Dieu ne sachent pas espionner, soit qu'elles fussent, de préférence, occupées à se guetter entre elles, elles n'y firent point attention.

Du reste bien en prit à Jean Valjean de se tenir coi[1] et de ne pas bouger. Javert observa le quartier plus d'un grand mois.

Ce couvent était pour Jean Valjean comme une île entourée de gouffres. Ces quatre murs étaient désormais le monde pour lui. Il y voyait le ciel assez pour être serein et Cosette assez pour être heureux.

Une vie très douce recommença pour lui.

---

1. Silencieux.

Troisième partie

Marius

1

Le petit Gavroche

Huit ou neuf ans après les événements que nous venons de raconter on remarquait sur le boulevard du Temple un petit garçon de onze à douze ans qui eût assez correctement réalisé l'idéal du gamin de Paris. Cet enfant était affublé d'un pantalon d'homme, mais il ne le tenait pas de son père, et d'une camisole[1] de femme, mais il ne la tenait pas de sa mère. Des gens quelconques l'avaient habillé de chiffons par charité. Pourtant il avait un père et une mère. Mais son père ne songeait pas à lui et sa mère ne l'aimait point. C'était un de ces enfants dignes de pitié entre tous qui ont père et mère et qui sont orphelins.

---

1. Chemise.

Cet enfant ne se sentait jamais si bien que dans la rue. Le pavé lui était moins dur que le cœur de sa mère.

Ses parents l'avaient jeté dans la vie d'un coup de pied.

C'était un garçon bruyant, blême, leste, éveillé, goguenard, à l'air vivace et maladif. Il allait, venait, chantait, jouait, riait quand on l'appelait galopin, se fâchait quand on l'appelait voyou. Il n'avait pas de gîte, pas de pain, pas de feu, pas d'amour ; mais il était joyeux parce qu'il était libre.

Pourtant, si abandonné que fût cet enfant, il arrivait parfois, tous les deux ou trois mois, qu'il disait : Tiens, je vais voir maman ! Alors il quittait le boulevard, descendait aux quais, passait les ponts, gagnait les faubourgs, atteignait la Salpêtrière, et arrivait où ? Précisément à ce double numéro 50-52, à la masure Gorbeau.

La « principale locataire » du temps de Jean Valjean était morte et avait été remplacée par une toute pareille, Mme Burgon.

Les plus misérables entre ceux qui habitaient la masure étaient une famille de quatre personnes, le père, la mère et deux filles déjà assez grandes. Le père en louant la chambre avait dit s'appeler Jondrette.

Cette famille était la famille du joyeux va-nu-pieds. Il y arrivait et il y trouvait la pauvreté, la détresse, et, ce qui est plus triste, aucun sourire ; le froid dans l'âtre et le froid dans les cœurs. Quand il entrait, sa mère lui disait : – Qu'est-ce que tu viens faire ici ?

Du reste sa mère aimait ses sœurs.

Nous avons oublié de dire que sur le boulevard du Temple on nommait cet enfant le petit Gavroche. Pourquoi s'appelait-il Gavroche ? Probablement parce que son père s'appelait Jondrette.

La chambre que les Jondrette habitaient dans la masure Gorbeau était la dernière au bout du corridor. La cellule d'à côté était occupée par un jeune homme très pauvre qu'on nommait M. Marius.

2

Le brigand de la Loire

En 1831 demeurait au Marais, rue des Filles-du-Calvaire n° 6, M. Gillenormand. La maison était à lui. Il était un de ces hommes devenus curieux à voir uniquement à cause qu'ils ont long-temps vécu, et qui sont étranges parce qu'ils ont jadis ressemblé à tout le monde et que maintenant ils ne ressemblent plus à personne. C'était un vieillard particulier, le vrai bourgeois complet et un peu hautain du XVIIIᵉ siècle. Il avait dépassé quatre-vingt-dix ans, marchait droit, parlait haut, voyait clair, buvait sec, mangeait, dormait en ronflait. Il avait ses trente-deux dents. Il ne mettait de lunettes que pour lire.

Un jour on apporta chez lui, dans une bourriche[1], un gros garçon nouveau-né, criant le diable et dûment emmitouflé de langes, qu'une servante chassée six mois auparavant lui attribuait. M. Gillenormand avait alors ses parfaits quatre-vingt-quatre ans. Indignation et clameur dans l'entourage. M. Gillenormand, lui, n'eut aucune colère. Il regarda le maillot avec l'aimable sourire d'un bonhomme flatté de la calomnie, et dit à la cantonade : – Eh bien, quoi ? qu'est-ce ? qu'y a-t-il ? vous vous ébahissez bellement. Ces choses-là n'ont rien que d'ordinaire. Sur ce, je déclare que ce petit monsieur n'est pas de moi. Qu'on en prenne soin. Ce n'est pas sa faute. – Le procédé était débonnaire[2]. La créature, celle-là qui se nommait Magnon, lui fit un deuxième envoi l'année d'après. C'était encore un garçon. Pour le coup M. Gillenormand capitula. Il remit à la mère les deux mioches, s'engageant à payer pour leur entretien quatre-vingts francs par mois, à la condition que ladite mère ne recommencerait plus.

M. Gillenormand avait eu deux femmes ; de la première une fille qui était restée fille et qui vivait avec lui, et de la seconde une autre fille, morte vers l'âge de trente ans, laquelle avait épousé par amour ou par hasard un soldat de fortune, Georges Pontmercy, qui avait servi dans les armées de la République et de l'Empire, avait eu la croix à Austerlitz et avait été fait

---

1. Cageot de gibier ou d'huîtres.
2. Plein de bonté.

colonel à Waterloo. C'est la *honte de ma famille,* disait le vieux bourgeois.

Disons-le, en vieillissant, Mlle Gillenormand avait plutôt gagné que perdu. C'est le fait des natures passives. Elle n'avait jamais été méchante, ce qui est une bonté relative ; et puis, les années usent les angles, et l'adoucissement de la durée lui était venu. Elle était triste d'une tristesse obscure dont elle n'avait pas elle-même le secret. Il y avait dans toute sa personne la stupeur d'une vie finie qui n'a pas commencé.

Elle tenait la maison de son père. M. Gillenormand avait près de lui sa fille.

Il y avait en outre dans la maison, entre cette vieille fille et ce vieillard, un enfant, un petit garçon toujours tremblant et muet devant M. Gillenormand. M. Gillenormand ne parlait jamais à cet enfant que d'une voix sévère et quelquefois la canne levée : – *Ici ! monsieur ! – Maroufle, polisson, approchez ! – Répondez, drôle ! – Que je vous voie, vaurien ! etc., etc.* Il l'idolâtrait.

C'était son petit-fils. Lorsqu'il parlait du père de cet enfant, il l'appelait le brigand de la Loire.

Quelqu'un qui aurait passé à cette époque dans la petite ville de Vernon aurait pu remarquer un homme d'une cinquantaine d'années coiffé d'une casquette de cuir, vêtu d'un pantalon et d'une veste de gros drap gris, chaussé de sabots, les cheveux presque blancs, une large cicatrice sur le front, courbé, voûté, vieilli avant l'âge, se promenant à peu près tous les jours, une bêche et une serpe à la main, dans un charmant enclos plein de fleurs. C'était le brigand de la Loire.

Quelqu'un qui, dans le même temps, aurait lu les mémoires militaires, des biographies, *Le Moniteur* et les bulletins de la Grande Armée, aurait pu être frappé d'un nom qui y revient assez souvent, le nom de Georges Pontmercy. Tout jeune, ce Georges Pontmercy était soldat au régiment de Saintonge.

Il s'illustra dans de nombreuses batailles. À Waterloo, ce fut lui qui prit le drapeau du bataillon de Lunebourg. Il vint jeter le drapeau aux pieds de l'Empereur. Il était couvert de sang. Il avait reçu, en arrachant le drapeau, un coup de sabre à travers le visage. L'Empereur, content, lui cria : *Pontmercy, tu es colonel, tu es baron, tu es officier de la Légion d'honneur !* Une heure après, il tombait dans le ravin d'Ohain où devait le découvrir Thénardier.

Le petit-fils de M. Gillenormand, qui s'appelait Marius, savait qu'il avait un père, mais rien de plus, Personne ne lui en ouvrait la bouche.

Pendant qu'il grandissait ainsi, tous les deux ou trois mois le colonel s'échappait, venait furtivement à Paris comme un repris de justice qui rompt son ban[1] et allait se poster à Saint-Sulpice, à l'heure où la tante Gillenormand menait Marius à la messe. Là, tremblant que la tante ne se retournât, caché derrière un pilier,

1. Qui s'évade.

immobile, n'osant respirer, il regardait son enfant. Ce balafré avait peur de cette vieille fille.

Deux fois par an, au 1er janvier et à la Saint-Georges, Marius écrivait à son père des lettres de devoir que sa tante dictait, et qu'on eût dit copiées dans quelque formulaire ; c'était tout ce que tolérait M. Gillenormand ; et le père répondait des lettres fort tendres que l'aïeul fourrait dans sa poche sans les lire.

Marius Pontmercy fit comme tous les enfants des études quelconques. Quand il sortit des mains de la tante Gillenormand, son grand-père le confia à un digne professeur, Marius eut ses années de collège, puis il entra à l'école de droit. Il était royaliste, fanatique et austère. Il aimait peu son grand-père dont la gaîté et le cynisme le froissaient, et il était sombre à l'endroit de son père.

C'était du reste un garçon ardent et froid, noble, généreux, fier, religieux exalté.

En 1827, Marius venait d'atteindre ses dix-sept ans. Comme il rentrait un soir, il vit son grand-père qui tenait une lettre à la main.

— Marius, dit M. Gillenormand, tu partiras demain pour Vernon.

— Pourquoi ? dit Marius.

— Pour voir ton père, il est malade. Il te demande.

Marius eut un tremblement. Il avait songé à tout, excepté à ceci.

Marius était convaincu que son père, le sabreur, comme l'appelait M. Gillenormand dans ses jours de douceur, ne l'aimait pas ; cela était évident, puisqu'il l'avait abandonné ainsi et laissé à d'autres. Ne se sentant point aimé, il n'aimait point.

Après un silence, M. Gillenormand ajouta :

— Pars demain matin. Je crois qu'il y a cour des Fontaines une voiture qui part à six heures et qui arrive le soir.

Le lendemain, à la brune[1], Marius arrivait à Vernon. Les chandelles commençaient à s'allumer. Il demanda au premier passant venu *la maison de monsieur Pontmercy*.

On lui indiqua le logis. Il sonna. Une femme vint lui ouvrir, une petite lampe à la main.

— Pourrais-je parler au colonel Pontmercy ? demanda Marius, je suis son fils. Il m'attend.

— Il ne vous attend plus, dit la femme.

Alors il s'aperçut qu'elle pleurait. Elle lui désigna du doigt la porte d'une salle basse, il entra.

Dans cette salle qu'éclairait une chandelle de suif posée sur la cheminée, il y avait trois hommes, un qui était debout, un qui était à genoux, et un qui était à terre en chemise couché tout de son long sur le carreau. Celui qui était à terre était le colonel.

Les deux autres étaient un médecin et un prêtre qui priait.

Marius considéra ce visage vénérable et mâle. Il son-

---

1. À la tombée de la nuit.

gea que cet homme était son père et que cet homme était mort, et il resta froid.

Le colonel ne laissait rien. La vente du mobilier paya à peine l'enterrement. La servante trouva un chiffon de papier qu'elle remit à Marius. Il y avait ceci, écrit de la main du colonel :

« – *Pour mon fils*. – L'empereur m'a fait baron sur le champ de bataille de Waterloo. Puisque la restauration[1] me conteste ce titre que j'ai payé de mon sang, mon fils le prendra et le portera. Il va sans dire qu'il en sera digne. »

Derrière, le colonel avait ajouté :

« À cette même bataille de Waterloo, un sergent m'a sauvé la vie. Cet homme s'appelle Thénardier. Dans ces derniers temps, je crois qu'il tenait une petite auberge dans un village des environs de Paris, à Chelles ou à Montfermeil. Si mon fils le rencontre, il fera à Thénardier tout le bien qu'il pourra. »

Marius prit ce papier et le serra.

Marius n'était demeuré que quarante-huit heures à Vernon. Après l'enterrement, il était revenu à Paris et s'était remis à son droit.

Marius avait un crêpe[2] à son chapeau. Voilà tout.

---

1. Régime politique (monarchique) qui suivit la chute de Napoléon.
2. Morceau de tissu noir qu'on porte en signe de deuil.

3

Comment on devient républicain

Un dimanche, Marius était allé entendre la messe à Saint-Sulpice, à cette même chapelle de la vierge où sa tante le tenait quand il était petit. Étant ce jour-là distrait et rêveur plus qu'à l'ordinaire, il s'était placé derrière un pilier et agenouillé, sans y faire attention, sur une chaise en velours d'Utrecht, au dossier de laquelle était écrit ce nom : *Monsieur Mabeuf, marguillier*[1]. La messe commençait à peine qu'un vieillard se présenta et dit à Marius :

— Monsieur, c'est ma place.

Marius s'écarta avec empressement, et le vieillard reprit sa chaise.

1. Membre du conseil d'une paroisse.

La messe finie, Marius était resté pensif à quelques pas ; le vieillard s'approcha de nouveau et lui dit :

— Je vous demande pardon, monsieur, de vous avoir dérangé tout à l'heure, je ne veux pas que vous ayez mauvaise idée de moi. Voyez-vous, je tiens à cette place. Pourquoi ? Je vais vous le dire. C'est à cette place-là que j'ai vu venir pendant dix années, régulièrement, un pauvre brave père qui n'avait pas d'autre manière de voir son enfant, parce que, pour des arrangements de famille, on l'en empêchait. Il venait à l'heure où il savait qu'on menait son fils à la messe. Le petit ne se doutait pas que son père était là. Le père, lui, se tenait derrière un pilier pour qu'on ne le vît pas. Il regardait son enfant, et il pleurait. Il adorait ce petit, ce pauvre homme ! J'ai même un peu connu ce malheureux monsieur. Il avait un beau-père, une tante riche, qui menaçaient de déshériter l'enfant si, lui, le père, il le voyait. Il s'était sacrifié pour que son fils fût riche un jour et heureux. On l'en séparait pour opinion politique parce qu'il avait été à Waterloo, ce n'est pas un monstre ; on ne sépare point pour cela un père de son enfant. C'était un colonel de Bonaparte. Il est mort, je crois. Il demeurait à Vernon et il s'appelait quelque chose comme Pontmarie ou Montpercy...

— Pontmercy ? dit Marius en pâlissant.

— Précisément. Pontmercy. Est-ce que vous l'avez connu ?

— Monsieur, dit Marius, c'était mon père.

Marius lut toutes les histoires de la République et

de l'Empire, tous les mémoires, les journaux, les bulletins, les proclamations ; il dévora tout. La première fois qu'il rencontra le nom de son père dans les bulletins de la Grande Armée, il en eut la fièvre toute une semaine. Il alla voir les généraux sous lesquels Georges Pontmercy avait servi. Marius arriva à connaître pleinement cet homme rare, sublime et doux, cette espèce de lion-agneau qui avait été son père.

Cependant, occupé de cette étude qui lui prenait tous ses instants, il ne voyait presque plus les Gillenormand. Marius était en train d'adorer son père.

En même temps un changement extraordinaire se faisait dans ses idées.

La République, l'Empire n'avaient été pour lui jusqu'alors que des mots monstrueux ; il s'expliquait ce qu'il avait haï, il pénétrait ce qu'il avait abhorré[1] ; il voyait désormais clairement le sens providentiel, divin et humain, des grandes choses qu'on lui avait appris à détester et des grands hommes qu'on lui avait enseigné à maudire.

De la réhabilitation de son père il avait naturellement passé à la réhabilitation de Napoléon.

Il croyait entendre les tambours, le canon, les trompettes, le pas mesuré des bataillons, le galop sourd et lointain des cavaleries. Il était transporté, tremblant, haletant ; un jour, sans savoir lui-même ce qui était en lui et à quoi il obéissait, il se dressa, étendit ses deux

1. Détesté.

bras hors de la fenêtre, regarda fixement l'ombre, le silence, et cria : Vive l'Empereur !

On le voit, à la façon de tous les nouveaux venus dans une religion, sa conversion l'enivrait, il se précipitait dans l'adhésion[1] et il allait trop loin.

Quoi qu'il en fût, un pas prodigieux était fait. Où il avait vu autrefois la chute de la monarchie, il voyait maintenant l'avènement de la France. Son orientation était changée. Ce qui avait été le couchant était le levant. Il s'était retourné.

Toutes ces révolutions s'accomplissaient en lui sans que sa famille s'en doutât.

Quand, dans ce mystérieux travail, il eut tout à fait perdu son ancienne peau de royaliste, lorsqu'il fut pleinement révolutionnaire et presque républicain, il alla chez un graveur du quai des Orfèvres et y commanda cent cartes portant ce nom : *Le baron Marius Pontmercy.*

Par une autre conséquence naturelle, à mesure qu'il se rapprochait de son père, de sa mémoire, et des choses pour lesquelles le colonel avait combattu vingt-cinq ans, il s'éloignait de son grand-père.

À force de piété pour son père, Marius en était presque venu à l'aversion pour son aïeul.

Marius faisait de temps en temps quelques absences.

---

1. Le fait d'être d'accord avec une idée.

— Où va-t-il donc comme cela ? demandait la tante.

— C'est quelque amourette, disait le grand-père.

Dans un de ces voyages, toujours très courts, il était allé à Montfermeil pour obéir à l'indication que son père lui avait laissée, et il avait cherché l'ancien sergent de Waterloo, l'aubergiste Thénardier. Thénardier avait fait faillite, l'auberge était fermée, et l'on ne savait ce qu'il était devenu. Pour ces recherches, Marius fut quatre jours hors de la maison.

Quand Marius revint à Paris il ne prit que le temps de quitter sa redingote de voyage et s'en alla au bain.

M. Gillenormand, levé de bonne heure, l'avait entendu rentrer, et s'était hâté d'escalader, le plus vite qu'il avait pu avec ses vieilles jambes, l'escalier des combles où habitait Marius, afin de l'embrasser et de savoir un peu d'où il venait.

Quand le père Gillenormand entra dans la mansarde, Marius n'y était plus.

Le lit n'était pas défait, et sur le lit s'étalait sans défiance la redingote[1].

Et un moment après il fit son entrée dans le salon où était assise Mlle Gillenormand, tenant d'une main la redingote.

— Victoire ! nous allons pénétrer le mystère ! nous allons savoir le fin du fin, nous allons palper les libertinages[2] de notre sournois !

---

1. Long manteau.
2. Fréquentations amoureuses.

Au même moment, un petit paquet carré long enveloppé de papier bleu tomba d'une poche de la redingote. Mlle Gillenormand le ramassa et développa le papier bleu. C'était le cent de cartes de Marius. Elle en passa une à M. Gillenormand qui lut : *Le baron Marius Pontmercy.*

Le vieillard sonna. Nicolette vint. M. Gillenormand prit la redingote, la jeta à terre au milieu du salon, et dit :

— Remportez ces nippes.

Une grande heure se passa dans le plus profond silence. Au bout de cette heure, la tante Gillenormand dit :

— Joli !

Quelques instants après, Marius parut. Avant même d'avoir franchi le seuil du salon, il aperçut son grand-père qui tenait à la main une de ses cartes et qui, en le voyant, s'écria avec son air de supériorité bourgeoise et ricanante qui était quelque chose d'écrasant :

— Tiens ! tiens ! tiens ! tiens ! tiens ! tu es baron à présent. Je te fais mon compliment. Qu'est-ce que cela veut dire ?

Marius rougit légèrement, et répondit :

— Cela veut dire que je suis le fils de mon père.

M. Gillenormand cessa de rire et dit durement :

— Ton père, c'est moi.

— Mon père, reprit Marius les yeux baissés et l'air sévère, c'était un homme humble et héroïque qui a glorieusement servi la république et la France, qui a

été grand dans la plus grande histoire que les hommes aient jamais faite, qui a vécu sous la mitraille et sous les balles et qui est mort dans l'oubli et dans l'abandon.

C'était plus que M. Gillenormand n'en pouvait entendre. À ce mot, *la république*, il s'était levé, ou pour mieux dire dressé debout. Chacune des paroles que Marius venait de prononcer avait fait sur le visage du vieux royaliste l'effet des bouffées d'un soufflet de forge sur un tison ardent. De sombre il était devenu rouge, de rouge pourpre, et de pourpre flamboyant.

— Marius ! s'écria-t-il. Abominable enfant ! je ne sais pas ce qu'était ton père ! je ne veux pas le savoir ! mais ce que je sais, c'est qu'il n'y a jamais eu que des misérables parmi tous ces gens-là ! entends-tu, Marius ! Vois-tu bien, tu es baron comme ma pantoufle ! C'étaient tous des bandits ! tous des traîtres qui ont trahi, trahi ! tous des lâches qui se sont sauvés devant les Prussiens et les Anglais à Waterloo ! Si monsieur votre père est là-dessous, j'en suis fâché, tant pis, votre serviteur[1] !

À son tour, c'était Marius qui était le tison, et M. Gillenormand qui était le soufflet. Marius frissonnait dans tous ses membres, sa tête flambait. Il ne se pouvait que de telles choses eussent été dites impunément devant lui. Mais que faire ? Son père venait d'être foulé aux pieds et trépigné en sa présence par

---

1. Bien le bonjour ! (ironique).

son grand-père. Comment venger l'un sans outrager l'autre ? Il était impossible qu'il insultât son grand-père, et il était également impossible qu'il ne vengeât point son père. Il fut quelques instants ivre et chancelant, puis il leva les yeux, regarda fixement son aïeul, et cria d'une voix tonnante :

— À bas les Bourbons[1] !

Le vieillard, d'écarlate qu'il était, devint subitement plus blanc que ses cheveux, et dit d'un ton presque calme :

— Un baron comme monsieur et un bourgeois comme moi ne peuvent rester sous le même toit.

Et tout à coup se redressant, blême, tremblant, terrible, le front agrandi par l'effrayant rayonnement de la colère, il étendit le bras vers Marius et lui cria :

— Va-t'en.

Marius quitta la maison sans dire où il allait, et sans savoir où il allait, avec trente francs, sa montre, et quelques hardes[2] dans un sac de nuit. Il était monté dans un cabriolet de place[3], l'avait pris à l'heure et s'était dirigé à tout hasard vers le pays latin[4].

Qu'allait devenir Marius ?

---

1. Lignée royale au pouvoir en France en 1831.
2. Vieux vêtements.
3. Où l'on paie sa place et non à l'heure.
4. Quartier latin, des étudiants.

4

Les amis de l'A.B.C.

À cette époque, indifférente en apparence, un frisson révolutionnaire courait vaguement. La jeunesse était en train de muer. On se transformait presque sans s'en douter, par le mouvement même du temps. Chacun faisait en avant le pas qu'il avait à faire. Les royalistes devenaient libéraux, les libéraux devenaient démocrates.

Un groupe de jeunes étudiants avait fondé la Société des Amis de l'A.B.C. Ils se réunissaient souvent soit au cabaret *Corinthe* aux halles, soit au café Musain, place Saint-Michel. Parmi eux se trouvaient Enjolras, Combeferre, Jean Prouvaire, Feuilly, Courfeyrac, Bahorel, Lesgle ou Laigle, Joly, Grantaire.

Qu'était-ce que les amis de l'A.B.C. ? une société

ayant pour but, en apparence, l'éducation des enfants, en réalité le redressement des hommes.

On se déclarait les amis de l'A.B.C. – L'*Abaissé*, c'était le peuple. On voulait le relever.

Un certain après-midi Laigle était adossé au chambranle de la porte du café Musain. Il remarqua un cabriolet qui passait, lequel allait au pas, et comme indécis. À qui en voulait ce cabriolet ? pourquoi allait-il au pas ? Laigle y regarda. Il y avait dedans, à côté du cocher, un jeune homme, et devant ce jeune homme un assez gros sac de nuit. Le sac montrait aux passants ce nom écrit en grosses lettres noires sur une carte cousue à l'étoffe : MARIUS PONTMERCY.

Ce nom fit changer d'attitude à Laigle. Il se dressa et jeta cette apostrophe au jeune homme du cabriolet :

— Monsieur Marius Pontmercy !

Le cabriolet interpellé s'arrêta.

— Je vous cherchais, reprit Laigle.

— Comment cela ? demanda Marius. Je ne vous connais pas.

— Moi non plus, je ne vous connais point. Vous n'étiez pas avant-hier à l'école.

— Cela est possible. Vous êtes étudiant ? demanda Marius.

— Oui, monsieur. Comme vous. Avant-hier je suis entré à l'école par hasard. Le professeur était en train de faire l'appel. Vous n'ignorez pas qu'ils sont très ridicules dans ce moment-là. Au troisième appel manqué, on vous raye l'inscription. Soixante francs dans

66

le gouffre[1]. Tout à coup Blondeau appelle *Marius Pontmercy*. Personne ne répond. Alors j'ai répondu : *Présent !* Cela fait que vous n'avez pas été rayé.

— Monsieur !... dit Marius.

— Jeune homme, l'interrompit Laigle, que ceci vous serve de leçon. À l'avenir, soyez exact. Où demeurez-vous ?

— Dans ce cabriolet, dit Marius.

— Signe d'opulence, repartit Laigle avec calme. Je vous félicite. Vous avez là un loyer de neuf mille francs par an.

En ce moment Courfeyrac sortait du café.

Marius sourit tristement.

— Je suis dans ce loyer depuis deux heures et j'aspire à en sortir ; mais je ne sais où aller.

— Monsieur, dit Courfeyrac, venez chez moi.

Courfeyrac monta dans le cabriolet.

— Cocher, dit-il, hôtel de la Porte-Saint-Jacques.

Et le soir même, Marius était installé dans une chambre de l'hôtel de la Porte-Saint-Jacques côte à côte avec Courfeyrac.

En quelques jours, Marius fut l'ami de Courfeyrac.

Un matin pourtant, Courfeyrac lui jeta brusquement cette interrogation :

— À propos, avez-vous une opinion politique ?

— Tiens ! dit Marius, presque offensé de la question.

---

1. Perdus.

— Qu'est-ce que vous êtes ?

— Démocrate-bonapartiste.

Le lendemain, Courfeyrac introduisit Marius au café Musain. Puis il lui chuchota à l'oreille avec un sourire :

— Il faut que je vous donne vos entrées dans la révolution. Et il le mena dans la salle des Amis de l'A.B.C.

Un matin, le maître de l'hôtel entra dans la chambre de Marius et lui dit :

— M. Courfeyrac a répondu pour vous.

— Oui.

— Mais il me faudrait de l'argent.

— Priez Courfeyrac de venir me parler, dit Marius.

Courfeyrac venu, l'hôte les quitta. Marius lui conta ce qu'il n'avait pas songé à lui dire encore, qu'il était comme seul au monde et n'ayant pas de parents.

— Qu'allez-vous devenir ? dit Courfeyrac. Avez-vous de l'argent ?

— Quinze francs.

— Avez-vous des habits ?

— Voilà.

— Avez-vous des bijoux ?

— Une montre. D'or. La voici.

— Je sais un marchand d'habits qui vous prendra votre redingote et un pantalon, et un horloger qui vous achètera votre montre.

— C'est bon.

— Non, ce n'est pas bon. Que ferez-vous après ?

— Tout ce qu'il faudra. Tout l'honnête du moins.

— Savez-vous l'anglais ? Savez-vous l'allemand ?

— Non. Pourquoi ?

— C'est qu'un de mes amis, libraire, fait une façon d'encyclopédie pour laquelle vous auriez pu traduire des articles allemands ou anglais. C'est mal payé, mais on vit.

— J'apprendrai l'anglais et l'allemand.

— Et en attendant ?

— En attendant je mangerai[1] mes habits et ma montre.

---

1. Je vivrai sur l'argent que j'en aurai tiré.

5

Marius pauvre

La vie devint sévère pour Marius. Il quitta l'hôtel de
la Porte-Saint-Jacques pour la masure Gorbeau.

À force de labeur, de courage, de persévérance et
de volonté, il était parvenu à tirer de son travail environ sept cents francs par an. Il avait appris l'allemand
et l'anglais. Grâce à Courfeyrac qui l'avait mis en rapport avec son ami le libraire, Marius remplissait dans
la littérature-librairie le modeste rôle d'*utilité*. Il faisait des prospectus, traduisait des journaux, annotait
des éditions, compilait[1] des biographies, etc. Produit
net, bon an, mal an, sept cents francs. Il en vivait. Pas
mal. Comment ?

---

1. Assemblait.

Marius occupait dans la masure Gorbeau, moyennant le prix annuel de trente francs, un taudis sans cheminée où il n'y avait, en fait de meubles, que l'indispensable. Il donnait trois francs par mois à la vieille principale locataire pour qu'elle vînt balayer le taudis et lui apporter chaque matin un peu d'eau chaude, un œuf frais et un pain d'un sou. De ce pain et de cet œuf, il déjeunait. À six heures du soir, il descendait rue Saint-Jacques, dîner chez Rousseau. Il ne mangeait pas de soupe. Il prenait un plat de viande de six sous, un demi-plat de légumes de trois sous, et un dessert de trois sous. Pour trois sous, du pain à discrétion. Quant au vin, il buvait de l'eau.

Quant au chauffage, n'ayant pas de cheminée, Marius l'avait « simplifié ».

Marius avait toujours deux habillements complets, l'un vieux « pour tous les jours », l'autre tout neuf, pour les occasions. Les deux étaient noirs.

Pour que Marius en vînt à cette situation florissante, il avait fallu des années. Années rudes. Il avait tout subi, en fait de dénuement ; il avait tout fait, excepté des dettes. Pour lui, une dette, c'était le commencement de l'esclavage. Plutôt que d'emprunter il ne mangeait pas. Il avait eu beaucoup de jours de jeûne.

À cette époque, Marius avait vingt ans. Il y avait trois ans qu'il avait quitté son grand-père.

C'était un beau jeune homme de moyenne taille, avec d'épais cheveux très noirs, un front haut et intelligent, les narines ouvertes et passionnées, l'air sincère et calme, et sur tout son visage je ne sais quoi qui était hautain, pensif et innocent. Ses façons étaient réservées, froides, polies, peu ouvertes. Comme sa bouche était charmante, ses lèvres les plus vermeilles[1] et ses dents les plus blanches du monde, son sourire corrigeait ce que toute sa physionomie avait de sévère. À de certains moments, c'était un singulier contraste que ce front chaste et ce sourire voluptueux. Il avait l'œil petit et le regard grand.

Au temps de sa pire misère, il remarquait que les jeunes filles se retournaient quand il passait, et il se sauvait ou se cachait, la mort dans l'âme. Il pensait qu'elles le regardaient pour ses vieux habits et qu'elles en riaient, le fait est qu'elles le regardaient pour sa grâce et qu'elles en rêvaient.

Ce muet malentendu entre lui et les jolies passantes l'avait rendu farouche.

Il y avait pourtant deux femmes que Marius ne fuyait pas et auxquelles il ne prenait point garde. À la vérité on l'eût fort étonné si on lui eût dit que c'étaient des femmes. L'une était la vieille barbue qui balayait sa chambre. L'autre était une espèce de petite fille qu'il voyait très souvent et qu'il ne regardait jamais.

Depuis plus d'un an, Marius remarquait, dans une allée déserte du Luxembourg, un homme et une toute jeune fille presque toujours assis côte à côte sur le même banc, à l'extrémité la plus solitaire de l'allée.

---

1. Rouge vif.

Chaque fois que le hasard amenait Marius dans cette allée, et c'était presque tous les jours, il y retrouvait ce couple. L'homme pouvait avoir une soixantaine d'années ; il paraissait triste et sérieux ; toute sa personne offrait cet aspect robuste et fatigué des gens de guerre retirés du service. Il avait l'air bon, mais inabordable. Il portait un pantalon bleu, une redingote bleue et un chapeau à bords larges, une cravate noire et une chemise éclatante de blancheur, mais de grosse toile. Il avait les cheveux très blancs.

La première fois que la jeune fille qui l'accompagnait vint s'asseoir avec lui sur le banc qu'ils semblaient avoir adopté, c'était une façon de fille de treize ou quatorze ans, maigre, au point d'en être presque laide, gauche, insignifiante, et qui promettait peut-être d'avoir d'assez beaux yeux. Elle avait cette mise à la fois vieille et enfantine des pensionnaires de couvent ; une robe mal coupée de gros mérinos[1] noir. Ils avaient l'air du père et de la fille.

Marius examina pendant deux ou trois jours cet homme vieux qui n'était pas encore un vieillard et cette petite fille qui n'était pas encore une personne, puis il n'y fit plus aucune attention. Eux de leur côté semblaient ne pas même le voir. La fille jasait sans cesse, et gaiement. Le vieux homme parlait peu, et, par instants, il attachait sur elle des yeux remplis d'une ineffable paternité.

---

1. Grosse laine.

Ce personnage et cette jeune fille avaient naturellement quelque peu éveillé l'attention des cinq ou six étudiants qui venaient se promener de temps en temps ; les studieux après leurs cours, les autres après leur partie de billard. Courfeyrac, qui était des derniers, les avait observés quelque temps, mais trouvant la fille laide, il s'en était bien vite et soigneusement écarté. Frappé uniquement de la robe de la petite et des cheveux du vieux, il avait appelé la fille *mademoiselle Lanoire* et le père *monsieur Leblanc*, si bien que, personne ne les connaissant, le surnom avait fait loi. Les étudiants disaient : – Ah ! monsieur Leblanc est à son banc ! et Marius, comme les autres.

Marius les vit ainsi presque tous les jours à la même heure pendant la première année. Il trouvait l'homme à son gré, mais la fille assez maussade.

La seconde année, Marius fut près de six mois sans mettre les pieds au Luxembourg. Un jour enfin il y retourna. C'était par une sereine matinée d'été.

Il alla droit à « son allée », et, quand il fut au bout, il aperçut, toujours sur le même banc, ce couple connu. Seulement, quand il approcha, c'était bien le même homme ; mais il lui parut que ce n'était plus la même fille. La personne qu'il voyait maintenant était une grande et belle créature ayant toutes les formes les plus charmantes de la femme à ce moment précis où elles se combinent encore avec toutes les grâces les plus naïves de l'enfant. C'étaient d'admirables cheveux châtains, un front de marbre, des joues de roses, une bouche exquise d'où le sourire sortait comme une clarté et la parole comme une musique. Le nez n'était pas beau, il était joli ; c'était le nez parisien ; c'est-à-dire quelque chose de spirituel.

Quand Marius passa près d'elle, il ne put voir ses yeux qui étaient constamment baissés, il ne vit que ses longs cils châtains pénétrés d'ombre et de pudeur.

Cela n'empêchait pas la belle enfant de sourire tout en écoutant l'homme aux cheveux blancs qui lui parlait, et rien n'était ravissant comme ce frais sourire avec des yeux baissés. Celle-ci n'avait pas seulement grandi, elle s'était idéalisée.

La seconde fois que Marius arriva près d'elle, la jeune fille leva les paupières. Ses yeux étaient d'un bleu céleste et profond, mais dans cet azur voilé il n'y avait encore que le regard d'un enfant. Elle regarda Marius avec indifférence, et Marius de son côté continua sa promenade en pensant à autre chose.

6

Commencement d'une grande maladie

Un jour, l'air était tiède, le Luxembourg était inondé d'ombre et de soleil. Marius ne pensait à rien, il vivait et il respirait, il passa près de ce banc, la jeune fille leva les yeux sur lui, leurs deux regards se rencontrèrent. Qu'y avait-il cette fois dans le regard de la jeune fille ? Marius n'eût pu le dire. Il n'y avait rien et il y avait tout. Ce fut un étrange éclair.

Elle baissa les yeux, et il continua son chemin.

Ce qu'il venait de voir, ce n'était pas l'œil ingénu[1] et simple d'un enfant, c'était un gouffre mystérieux. Il y a un jour où toute jeune fille regarde ainsi. Malheur

---

1. Naïf et innocent.

à qui se trouve là ! Il est rare qu'une rêverie profonde ne naisse pas de ce regard là où il tombe.

Le soir, en rentrant dans son galetas, Marius jeta les yeux sur son vêtement, et s'aperçut pour la première fois qu'il avait la malpropreté et la stupidité inouïe d'aller se promener au Luxembourg avec un chapeau cassé près de la ganse[1], de grosses bottes de roulier[2], un pantalon noir et blanc aux genoux et un habit noir pâle aux coudes.

Le lendemain, à l'heure accoutumée, Marius tira de son armoire son habit neuf, son pantalon neuf, son chapeau neuf et ses bottes neuves ; il se revêtit de cette panoplie complète, mit des gants, luxe prodigieux, et s'en alla au Luxembourg.

Chemin faisant, il rencontra Courfeyrac, et feignit de ne pas le voir. Courfeyrac en rentrant chez lui dit à ses amis : – Je viens de rencontrer le chapeau neuf et l'habit neuf de Marius, et Marius dedans. Il allait sans doute passer un examen. Il avait l'air tout bête.

Arrivé au Luxemboug, Marius fit le tour du bassin et considéra les cygnes, puis il demeura longtemps en contemplation devant une statue qui avait la tête toute noire de moisissure. Enfin il se dirigea vers « son allée », lentement et comme s'il y allait à regret. On eût dit qu'il était à la fois forcé et empêché d'y aller. Il ne se rendait aucun compte de tout cela, et croyait faire comme tous les jours.

_____

1. Ruban qui entoure le chapeau.
2. Voyageur de commerce.

En débouchant dans l'allée, il aperçut à l'autre bout « sur leur banc » M. Leblanc et la jeune fille. Il boutonna son habit jusqu'en haut, le tendit sur son torse pour qu'il ne fît pas de plis, examina avec une certaine complaisance les reflets lustrés de son pantalon et marcha sur le banc.

À mesure qu'il approchait, son pas se ralentissait de plus en plus. Parvenu à une certaine distance du banc, bien avant d'être à la fin de l'allée, il s'arrêta, et il ne put savoir lui-même comment il se fit qu'il rebroussa chemin.

Il atteignit le bout opposé, puis revint, et cette fois il s'approcha un peu plus près du banc. Mais là il hésita. Il avait cru voir le visage de la jeune fille se pencher vers lui. Cependant il fit un effort violent, continua et passa devant le banc, droit et ferme, rouge jusqu'aux oreilles, sans oser jeter un regard à droite, ni à gauche. Au moment où il passa il éprouva un affreux battement de cœur. Il entendit une voix ineffable qui devait être « sa voix ». Elle causait tranquillement. Elle était bien jolie.

Il dépassa le banc, alla jusqu'à l'extrémité de l'allée qui était tout proche, puis revint sur ses pas et passa encore devant la belle fille. Cette fois il était très pâle. À nouveau il s'éloigna du banc et de la jeune fille, et s'arrêta vers la moitié de l'allée, et là, chose qu'il ne faisait jamais, il s'assit, jetant des regards de côté.

Au bout d'un quart d'heure il se leva, comme s'il allait recommencer à marcher vers ce banc qu'une auréole entourait. Cependant il restait debout et immobile, la tête baissée et faisant des dessins sur le sable avec une baguette qu'il avait à la main.

Puis il se tourna brusquement du côté opposé au banc, à M. Leblanc et à sa fille, et s'en revint chez lui. Ce jour-là il oublia d'aller dîner.

Il ne se coucha qu'après avoir brossé son habit et l'avoir plié avec soin. Le lendemain, la vieille portière-principale-locataire-femme-de-ménage de la masure Gorbeau, Mme Burgon, remarqua que M. Marius sortait encore avec son habit neuf.

Il retourna au Luxembourg, mais il ne dépassa point son banc de la moitié de l'allée. Il s'y assit comme la veille. Il n'en bougea pas, et ne rentra chez lui que lorsqu'on ferma les portes du Luxembourg.

Le lendemain, c'était le troisième jour, mame Burgon fut refoudroyée, Marius sortit avec son habit neuf.

— Trois jours de suite ! s'écria-t-elle.

Marius s'était rendu au Luxembourg. La jeune fille y était avec M. Leblanc. Marius approcha le plus près qu'il put en faisant semblant de lire dans un livre, mais il resta encore fort loin, puis revint s'asseoir sur son banc où il passa quatre heures à regarder sauter dans l'allée les moineaux.

Une quinzaine s'écoula ainsi. Marius allait au Luxembourg pour s'y asseoir toujours à la même place et sans savoir pourquoi. Arrivé là, il ne remuait plus : elle était décidément d'une beauté merveilleuse.

Un des derniers jours de la seconde semaine, Marius

était comme à son ordinaire assis sur son banc, tenant à la main un livre ouvert dont depuis deux heures il n'avait pas tourné une page. Tout à coup il tressaillit. Un événement se passait à l'extrémité de l'allée. M. Leblanc et sa fille venaient de quitter leur banc, la fille avait pris le bras du père, et tous deux se dirigeaient lentement vers le milieu de l'allée où était Marius. Marius ferma son livre, puis il le rouvrit, puis il s'efforça de lire. Il tremblait. La jeune fille passa, et en passant elle le regarda fixement, avec une douceur pensive. Marius resta ébloui devant ces prunelles pleines de rayons et d'abîmes.

Il croyait être sûr qu'elle avait regardé aussi ses bottes.

Il la suivit des yeux jusqu'à ce qu'elle eût disparu. Puis il se mit à marcher dans le Luxembourg comme un fou. Il était éperdument amoureux.

Tout un grand mois s'écoula, pendant lequel Marius alla tous les jours au Luxembourg. L'heure venue, rien ne pouvait le retenir. – Il est de service, disait Courfeyrac. Marius vivait dans les ravissements. Il est certain que la jeune fille le regardait.

Il avait fini par s'enhardir, et il s'approchait du banc. Cependant il ne passait plus devant, obéissant à la fois à l'instinct de timidité et à l'instinct de prudence des amoureux. Il jugeait utile de ne point attirer « l'attention du père ». Il combinait ses stations[1] derrière les

---

1. Arrêts, moments d'immobilité.

arbres et les piédestaux des statues avec un machiavé-lisme profond[1], de façon à se faire voir le plus possible à la jeune fille et à se laisser voir le moins possible du vieux monsieur. Quelquefois, pendant des demi-heures entières, il restait immobile à l'ombre d'un Léo-nidas ou d'un Spartacus quelconque, tenant à la main un livre au-dessus duquel ses yeux, doucement levés, allaient chercher la belle fille, et elle, de son côté, détournait avec un vague sourire son charmant profil vers lui. Tout en causant le plus naturellement et le plus tranquillement du monde avec l'homme à che-veux blancs, elle appuyait sur Marius toutes les rêve-ries d'un œil virginal[2] et passionné. Antique et immé-morial[3] manège qu'Ève savait dès le premier jour du monde et que toute femme sait dès le premier jour de la vie ! Sa bouche donnait la réplique à l'un et son regard donnait la réplique à l'autre.

Il fallait croire pourtant que M. Leblanc finissait par s'apercevoir de quelque chose, car souvent, lorsque Marius arrivait, il se levait et se mettait à marcher. Il avait quitté leur place accoutumée et avait adopté, à l'autre extrémité de l'allée, le banc voisin du Gladia-teur, comme pour voir si Marius les y suivrait. Marius ne comprit point, et fit cette faute. Le « père » com-mença à devenir inexact, et n'amena plus « sa fille »

1. En élaborant sa tactique de manière à parvenir à ce qu'il souhaitait.
2. Pur.
3. Très ancien.

tous les jours. Quelquefois il venait seul. Alors Marius ne restait pas. Autre faute.

De la phase de timidité il avait passé à la phase d'aveuglement. Son amour croissait. Il en rêvait toutes les nuits. Et puis il lui était arrivé un bonheur inespéré. Un soir, à la brune, il avait trouvé sur le banc que « M. Leblanc et sa fille » venaient de quitter, un mouchoir tout simple et sans broderie, mais blanc et fin. Ce mouchoir était marqué des lettres U. F. ; U était évidemment le prénom. Ursule ! pensa-t-il, quel délicieux nom ! Il baisa le mouchoir, le mit sur son cœur.

Ce mouchoir était au vieux monsieur qui l'avait tout bonnement laissé tomber de sa poche.

L'appétit vient en aimant. Savoir qu'elle se nommait Ursule, c'était déjà beaucoup ; c'était peu. Marius en trois ou quatre semaines eut dévoré ce bonheur. Il en voulut un autre. Il voulut savoir où elle demeurait.

Il suivit « Ursule ». Elle demeurait rue de l'Ouest, à l'endroit le moins fréquenté, dans une maison neuve à trois étages d'apparence modeste.

À partir de ce moment, Marius ajouta à son bonheur de la voir au Luxembourg le bonheur de la suivre jusque chez elle.

Un jour M. Leblanc et sa fille ne firent au Luxembourg qu'une courte apparition. Ils s'en allèrent qu'il faisait grand jour. Marius les suivit rue de l'Ouest comme il en avait pris l'habitude. En arrivant à la porte cochère, M. Leblanc fit passer sa fille devant, puis s'arrêta avant de franchir le seuil, se retourna et regarda Marius fixement.

Le jour d'après, ils ne vinrent pas au Luxembourg. Marius attendit en vain toute la journée. À la nuit tombée, il alla rue de l'Ouest, et vit de la lumière aux fenêtres du troisième. Il se promena sous ces fenêtres jusqu'à ce que cette lumière fût éteinte.

Il se passa huit jours de la sorte. M. Leblanc et sa fille ne paraissaient plus au Luxembourg. Marius n'osait guetter la porte cochère pendant le jour. Il se contentait d'aller à la nuit contempler la clarté rougeâtre des vitres.

Le huitième jour, aucune lumière ne s'alluma aux fenêtres du troisième étage et personne ne rentra dans la maison.

Marius frappa à la porte cochère, entra et dit au portier :

— Le monsieur du troisième ?

— Déménagé, répondit le portier.

— Où demeure-t-il maintenant ?

— Je n'en sais rien.

7

Babet, Gueulemer, Claquesous et Montparnasse

Un quatuor de bandits, Claquesous, Gueulemer, Babet et Montparnasse, gouvernait de 1830 à 1835 les bas-fonds[1] de Paris.

Gueulemer était un Hercule déclassé. Il avait pour antre[2] l'égout de l'Arche-Marion. Après avoir été portefaix à Avignon en 1815, il était passé bandit.

Babet était maigre, savant et beau parleur. Son industrie était de vendre en plein vent des bustes de plâtre et des portraits du « chef de l'État ».

Qu'était-ce que Claquesous ? C'était la nuit. Il attendait pour se montrer que le ciel se fût barbouillé

---

1. Société misérable.
2. Caverne.

de noir. Le soir il sortait d'un trou où il rentrait avant le jour. Où était ce trou ? Personne ne le savait. Dans la plus complète obscurité, à ses complices, il ne parlait qu'en tournant le dos. Claquesous était vague, errant, terrible.

Un être lugubre, c'était Montparnasse. Montparnasse était un enfant ; moins de vingt ans, un joli visage, des lèvres qui ressemblaient à des cerises, de charmants cheveux noirs. Il était gentil, gracieux, robuste, mou, féroce. Montparnasse, c'était une gravure de modes ayant de la misère et commettant des meurtres. La cause de tous les attentats de cet adolescent était l'envie d'être bien mis. Se trouvant joli, il avait voulu être élégant.

Ces quatre hommes n'étaient point quatre hommes ; c'était une sorte de mystérieux voleur à quatre têtes travaillant en grand sur Paris.

Grâce à leurs ramifications, et au réseau sous-jacent de leurs relations, Babet, Gueulemer, Claquesous et Montparnasse avaient l'entreprise générale des guetsapens du département de la Seine. Ils faisaient sur le passant le coup d'État d'en bas. Les trouveurs d'idées en ce genre, les hommes à imagination nocturne, s'adressaient à eux pour l'exécution. On fournissait aux quatre coquins le canevas, ils se chargeaient de la mise en scène. Ils travaillaient sur scénario. Ils étaient toujours en situation de prêter un personnel proportionné et convenable à tous les attentats ayant besoin d'un coup d'épaule et suffisamment lucratifs[1]. Un crime étant en quête de bras, ils lui sous-louaient des complices. Ils avaient une troupe d'acteurs de ténèbres à la disposition de toutes les tragédies de cavernes.

Ils se réunissaient habituellement à la nuit tombante, heure de leur réveil, dans les steppes qui avoisinent la Salpêtrière. Là, ils conféraient. Ils avaient les douze heures noires devant eux ; ils en réglaient l'emploi.

Patron-Minette, tel était le nom qu'on donnait dans la circulation souterraine à l'association de ces quatre hommes.

---

1. Qui rapportent de l'argent.

8

Une rose dans la misère

L'été passa, puis l'automne ; l'hiver vint. Ni
M. Leblanc ni la jeune fille n'avaient remis les pieds
au Luxembourg. Marius tomba dans une tristesse
noire.

Il se remit à vivre de plus en plus seul, égaré, accablé, tout à son angoisse intérieure, allant et venant
dans sa douleur comme le loup dans le piège, quêtant
partout l'absente, abruti d'amour.

Marius n'avait pas cessé d'habiter la masure Gorbeau. Il n'y faisait attention à personne.

À cette époque, à la vérité, il n'y avait plus dans
cette masure d'autres habitants que lui et les Jondrette dont il avait une fois acquitté le loyer, sans

avoir du reste jamais parlé ni au père, ni à la mère, ni aux filles.

Un jour d'hiver Marius montait à pas lents le boulevard afin de gagner la rue Saint-Jacques. C'était l'heure du dîner. Il marchait pensif, la tête baissée.

Tout à coup il se sentit coudoyé[1] dans la brume ; il se retourna et vit deux jeunes filles en haillons, l'une longue et mince, l'autre un peu moins grande, qui passaient rapidement, essoufflées, effarouchées, et comme ayant l'air de s'enfuir ; elles l'avaient heurté en passant. Marius distinguait dans le crépuscule leurs figures livides, leurs cheveux épars, leurs jupes en guenilles et leurs pieds nus. Tout en courant, elles se parlaient. La plus grande disait d'une voix très basse :

— Les cognes[2] sont venus. Ils ont manqué me pincer au demi-cercle.

L'autre répondait : – Je les ai vus. J'ai cavalé, cavalé, cavalé !

Marius comprit que les gendarmes avaient failli saisir ces deux enfants, et que ces enfants s'étaient échappés.

Le lendemain, vers sept heures du matin, Marius venait de se lever et de déjeuner, et il essayait de se mettre au travail lorsqu'on frappa doucement à sa porte.

---

1. Touché.
2. Policiers (argot).

— Entrez, dit Marius.

La porte s'ouvrit.

Une voix, qui n'était pas celle de mame Burgon, dit :

— Pardon, monsieur...

C'était une voix sourde, cassée, étranglée, éraillée. Marius se tourna vivement. Une toute jeune fille était debout dans la porte entrebâillée. C'était une créature hâve[1], chétive, décharnée ; rien qu'une chemise et une jupe sur une nudité frissonnante et glacée. Pour ceinture une ficelle, pour coiffure une ficelle, des épaules pointues sortant de la chemise, des clavicules terreuses, des mains rouges, la bouche entr'ouverte, des dents de moins, l'œil terne, hardi, les formes d'une jeune fille avortée et le regard d'une vieille femme corrompue ; cinquante ans mêlés à quinze ans.

Ce visage n'était pas absolument inconnu à Marius. Il croyait se rappeler l'avoir vu quelque part.

— Que voulez-vous, mademoiselle ? demanda-t-il.

La jeune fille répondit avec sa voix de galérien ivre :

— C'est une lettre pour vous, monsieur Marius.

Elle tenait en effet une lettre à la main qu'elle présenta à Marius.

Marius la lut :

« Mon aimable voisin, jeune homme !

J'ai appris vos bontés pour moi, que vous avez

---

1. Pâle et maigre.

93

payé mon terme[1] il y a six mois. Je vous bénis, jeune homme. Ma fille aînée vous dira que nous sommes sans un morceau de pain depuis deux jours, quatre personnes, et mon épouse malade. Je crois devoir espérer que votre cœur généreux s'humanisera à cet exposé, et vous subjuguera[2] le désir de m'être propice en daignant me prodiguer un léger bienfait.

Je suis avec la considération distinguée qu'on doit aux bienfaiteurs de l'humanité,

JONDRETTE

P. S. – Ma fille attendra vos ordres, cher monsieur Marius. »

Depuis que Marius habitait la masure, il n'avait eu que de bien rares occasions de voir les Jondrette.

Cependant, tandis que Marius attachait sur elle un regard étonné et douloureux, la jeune fille allait et venait dans la mansarde. Elle remuait les chaises, elle dérangeait les objets de toilette posés sur la commode, elle touchait aux vêtements de Marius, elle furetait ce qu'il y avait dans les coins.

— Tiens, dit-elle, vous avez un miroir !

Et elle fredonnait, comme si elle eût été seule, des

---

1. Loyer.
2. Suscitera.

refrains folâtres[1] que sa voix gutturale et rauque faisait lugubres. Rien n'était plus morne que de la voir s'ébattre dans la chambre avec des mouvements d'oiseau que le jour effare. On sentait qu'avec d'autres conditions d'éducation et de destinée, l'allure gaie et libre de cette jeune fille eût pu être quelque chose de doux et de charmant.

Marius songeait, et la laissait faire.

Elle s'approcha de la table.

— Ah ! dit-elle, des livres ! Je sais lire, moi. Et je sais écrire aussi !

Elle trempa la plume dans l'encre, et se tournant vers Marius :

— Voulez-vous voir ? Tenez, je vais écrire un mot pour voir.

Et avant qu'il eût eu le temps de répondre, elle écrivit sur une feuille de papier blanc qui était au milieu de la table : *Les cognes sont là.*

Puis jetant la plume elle considéra Marius, prit un air étrange, et lui dit :

— Savez-vous, monsieur Marius, que vous êtes joli garçon ? Vous ne faites pas attention à moi, mais je vous connais, monsieur Marius. Je vous rencontre ici dans l'escalier. Cela vous va très bien, vos cheveux ébouriffés.

Marius s'était reculé doucement. Il fouilla dans son gilet et finit par réunir cinq francs seize sous.

---

1. Légers, gais.

Il garda les seize sous et donna les cinq francs à la fille.

Elle saisit la pièce.

— Bon, dit-elle, il y a du soleil ! Cinq francs ! du luisant[1] ! un monarque[2] !

Elle ramena sa chemise sur ses épaules, fit un profond salut à Marius, puis un signe familier de la main, et se dirigea vers la porte. En passant, elle aperçut sur la commode une croûte de pain desséchée qui y moisissait dans la poussière, elle se jeta dessus et y mordit en grommelant :

— C'est bon ! c'est dur ! ça me casse les dents !

Puis elle sortit.

Marius depuis cinq ans avait vécu dans la pauvreté, dans le dénuement, dans la détresse même, mais il s'aperçut qu'il n'avait point connu la vraie misère. La vraie misère, il venait de la voir. C'était cette larve qui venait de passer sous ses yeux.

Marius se reprocha presque les préoccupations de rêverie et de passion qui l'avaient empêché jusqu'à ce jour de jeter un coup d'œil sur ses voisins. Avoir payé leur loyer, c'était un mouvement machinal, tout le monde eût eu ce mouvement ; mais lui Marius eût dû faire mieux.

Tout en se faisant cette morale, il considérait le mur qui le séparait des Jondrette. Le mur était une mince lame de plâtre soutenue par des lattes et des solives.

---

1. De l'argent.
2. Louis (monnaie).

Tout à coup, il se leva, il venait de remarquer vers le haut, près du plafond, un trou triangulaire résultant de trois lattes qui laissaient un vide entre elles. Le plâtras qui avait dû boucher ce vide était absent, et en montant sur la commode on pouvait voir par cette ouverture dans le galetas des Jondrette. Il escalada la commode, approcha sa prunelle de la crevasse et regarda.

Ce que Marius voyait était un taudis abject, sale, fétide, ténébreux, sordide. Pour tous meubles, une chaise de paille, une table infirme, quelques vieux tessons, et dans deux coins deux grabats[1] indescriptibles ; pour toute clarté, une fenêtre-mansarde à quatre carreaux, drapée de toiles d'araignée. Les murs avaient un aspect lépreux. Une humidité chassieuse y suintait. Cette chambre avait une cheminée. Il y avait de tout dans cette cheminée, un réchaud, une marmite, des planches cassées, des loques pendues à des clous, une cage d'oiseau, de la cendre, et même un peu de feu.

Une chose qui ajoutait encore à l'horreur de ce galetas[2], c'est que c'était grand. Cela avait des saillies, des angles. De là d'affreux coins insondables où il semblait que devaient se blottir des araignées grosses comme le poing, des cloportes larges comme le pied.

Une espèce de panneau de bois plus long que large

---

1. Lits misérables.
2. Logis très pauvre.

était posé à terre et appuyé en plan incliné contre le mur. Cela avait l'air d'un tableau retourné.

Près de la table, sur laquelle Marius apercevait une plume, de l'encre et du papier, était assis un homme d'environ soixante ans, petit, maigre, livide, hagard, l'air fin, cruel et inquiet ; un gredin hideux.

Cet homme avait une longue barbe grise. Il était vêtu d'une chemise de femme qui laissait voir sa poitrine velue et ses bras nus hérissés de poils gris. Sous cette chemise, on voyait passer un pantalon boueux et des bottes dont sortaient les doigts de ses pieds. Il avait une pipe à la bouche et il fumait. Il n'y avait plus de pain dans le taudis, mais il y avait encore du tabac.

Une grosse femme qui pouvait avoir quarante ans ou cent ans était accroupie près de la cheminée sur ses talons nus.

Elle n'était vêtue, elle aussi, que d'une chemise, et d'un jupon de tricot rapiécé avec des morceaux de vieux drap. Quoique cette femme fût pliée et ramassée sur elle-même, on voyait qu'elle était de très haute taille. Elle avait d'affreux cheveux d'un blond roux grisonnants.

Sur un des grabats, Marius entrevoyait une espèce de longue petite fille blême assise, presque nue et les pieds pendants, n'ayant l'air ni d'écouter, ni de voir, ni de vivre.

Elle paraissait onze ou douze ans. C'était l'enfant

qui disait la veille au soir sur le boulevard : *J'ai cavalé !*
cavalé ! cavalé !

Du reste, il ne se révélait dans ce logis la présence
d'aucun travail ; pas un métier, pas un rouet[1], pas un
outil. Dans un coin quelques ferrailles d'un aspect
douteux.

---

1. Instrument qui sert à filer la laine.

9

Elle !

Marius, la poitrine oppressée, allait redescendre de l'espèce d'observatoire qu'il s'était improvisé, quand un bruit attira son attention et le fit rester à sa place.

La porte du galetas venait de s'ouvrir brusquement. La fille aînée parut sur le seuil.

Elle avait aux pieds de gros souliers d'homme tachés de boue qui avait jailli jusque sur ses chevilles rouges, et elle était couverte d'une vieille mante[1] en lambeaux. Elle entra, repoussa la porte derrière elle, s'arrêta pour reprendre haleine, car elle était tout essoufflée, puis cria avec une expression de triomphe et de joie :

---

1. Manteau court.

— Il vient !

Le père tourna les yeux, la femme tourna la tête, la petite sœur ne bougea pas.

— Qui ? demanda le père.

— Le monsieur de l'église Saint-Jacques !

— Ce vieux ?

— Oui. Il vient en fiacre.

Le père se leva.

— Comment es-tu sûre ? s'il vient en fiacre, comment se fait-il que tu arrives avant lui ? Lui as-tu bien donné l'adresse au moins ? lui as-tu bien dit la dernière porte au fond du corridor à droite ? Tu l'as donc trouvé à l'église ? a-t-il lu ma lettre ? qu'est-ce qu'il t'a dit ?

— Ta, ta, ta ! dit la fille. Voici : je suis entrée dans l'église, il était à sa place d'habitude, je lui ai fait la révérence, et je lui ai remis la lettre, il a lu, et il m'a dit : Où demeurez-vous, mon enfant ? J'ai dit : Monsieur, je vais vous mener. Il m'a dit : Non, donnez-moi votre adresse, ma fille a des emplettes à faire, je vais prendre une voiture et j'arriverai chez vous en même temps que vous. Je lui ai donné l'adresse. Quand je lui ai dit la maison, il a paru surpris et qu'il hésitait un instant, puis il a dit : C'est égal, j'irai. La messe finie, je l'ai vu sortir de l'église avec sa fille, je les ai vus monter en fiacre.

— Et qu'est-ce qui te dit qu'il viendra ?

— Je viens de voir le fiacre qui arrivait rue du Petit-Banquier. C'est ce qui fait que j'ai couru.

La fille regarda hardiment son père, et, montrant les chaussures qu'elle avait aux pieds :

— Je ne connais rien de plus agaçant que des semelles qui jutent et qui font ghi, ghi, ghi, tout le long du chemin. J'aime mieux aller nu-pieds.

— Tu as raison, répondit le père d'un ton de douceur qui contrastait avec la rudesse de la jeune fille, mais c'est qu'on ne te laisserait pas entrer dans les églises. Il faut que les pauvres aient des souliers. On ne va pas pieds nus chez le bon Dieu, ajouta-t-il amèrement. Puis revenant à l'objet qui le préoccupait : – Et tu es sûre, là, qu'il vient ?

— Il est derrière mes talons, dit-elle.

L'homme se dressa. Il y avait une sorte d'illumination sur son visage.

— Ma femme ? cria-t-il, tu entends. Voilà le vieux de l'église Saint-Jacques. Éteins le feu.

La mère stupéfaite ne bougea point. Le père, avec l'agilité d'un saltimbanque, saisit un pot égueulé[1] qui était sur la cheminée et jeta de l'eau sur les tisons.

Puis s'adressant à sa fille aînée :

— Toi ! dépaille la chaise !

Sa fille ne comprenait point.

Il empoigna la chaise et d'un coup de talon il en fit une chaise dépaillée. Sa jambe passa au travers.

Le père se tourna vers la cadette qui était sur le grabat près de la fenêtre et lui cria d'une voix tonnante :

—————
1. Ébréché.

— Vite ! à bas du lit, fainéante ! tu ne feras donc jamais rien ! Casse un carreau !

La petite se jeta à bas du lit en frissonnant et demeura interdite.

— M'entends-tu ? répéta le père, je te dis de casser un carreau !

L'enfant, avec une sorte d'obéissance terrifiée, se dressa sur la pointe du pied, et donna un coup de poing dans un carreau. La vitre se brisa et tomba à grand bruit.

— Bien, dit le père.

Son regard parcourait rapidement tous les recoins du galetas. On eût dit un général qui fait les derniers préparatifs au moment où la bataille va commencer.

La mère, qui n'avait pas encore dit un mot, se souleva et demanda d'une voix lente et sourde.

— Chéri, qu'est-ce que tu veux faire ?

— Mets-toi au lit, répondit l'homme.

L'intonation n'admettait pas de délibération. La mère obéit et se jeta lourdement sur un des grabats.

Cependant on entendait un sanglot dans un coin.

— Qu'est-ce que c'est ? cria le père.

La fille cadette, sans sortir de l'ombre où elle s'était blottie, montra son poing ensanglanté. En brisant la vitre elle s'était blessée.

— Tant mieux ! dit l'homme, c'était prévu.

Puis, déchirant la chemise de femme qu'il avait sur le corps, il fit un lambeau de toile dont il enveloppa vivement le poignet sanglant de la petite.

Une bise glacée sifflait à la vitre et entrait dans la chambre. À travers le carreau cassé, on voyait tomber la neige.

Le père promena un coup d'œil autour de lui comme pour s'assurer qu'il n'avait rien oublié. Il prit une vieille pelle et répandit de la cendre sur les tisons mouillés de façon à les cacher complètement.

Puis se relevant et s'adossant à la cheminée :

— Maintenant, dit-il, nous pouvons recevoir le vieux.

En ce moment on frappa un léger coup à la porte, l'homme s'y précipita et l'ouvrit.

Un homme d'un âge mûr et une jeune fille parurent sur le seuil du galetas.

Marius n'avait pas quitté sa place. Ce qu'il éprouva en ce moment échappe à la langue humaine : c'était Elle.

C'est à peine si Marius la distinguait à travers la vapeur lumineuse qui s'était subitement répandue sur ses yeux. C'était cette prunelle, ce front, cette bouche, ce beau visage évanoui qui avait fait la nuit en s'en allant. La vision s'était éclipsée, elle reparaissait !

Elle reparaissait dans cette ombre, dans ce galetas, dans ce bouge[1] difforme, dans cette horreur !

Marius frémissait éperdument. Quoi ! il la revoyait enfin après l'avoir cherchée si longtemps ! il lui sem-

---

1. Logis misérable.

blait qu'il avait perdu son âme et qu'il venait de la retrouver.

Elle était toujours la même, un peu pâle seulement ; sa délicate figure s'encadrait dans un chapeau de velours violet, sa taille se dérobait sous une pelisse de satin noir. On entrevoyait sous sa longue robe son petit pied serré dans un brodequin de soie.

Elle était toujours accompagnée de M. Leblanc.

Elle avait fait quelques pas dans la chambre et avait déposé un assez gros paquet sur la table.

La Jondrette aînée s'était retirée derrière la porte et regardait d'un œil sombre ce chapeau de velours, cette mante de soie, et ce charmant visage heureux.

Le taudis était tellement obscur que les nouveaux venus avancèrent avec une certaine hésitation, distinguant à peine des formes vagues autour d'eux.

M. Leblanc s'approcha avec son regard bon et triste, et dit au père Jondrette :

— Monsieur, vous trouverez dans ce paquet des hardes neuves, des bas et des couvertures de laine.

— Notre angélique bienfaiteur nous comble, dit Jondrette en s'inclinant jusqu'à terre. – Puis, se penchant à l'oreille de sa fille aînée, il ajouta bas et rapidement :

— Hein ? qu'est-ce que je disais ? des nippes ! pas d'argent. Ils sont tous les mêmes !

M. Leblanc se retournait vers Jondrette :

— Je vois que vous êtes bien à plaindre, monsieur...

Ici Jondrette s'écria avec un son de voix qui tenait

tout à la fois de la gloriole[1] du bateleur dans les foires et de l'humilité du mendiant sur les grandes routes.

— La fortune m'a souri jadis. Hélas ! maintenant c'est le tour du malheur. Voyez, mon bienfaiteur, pas de pain, pas de feu. Mes pauvres mômes n'ont pas de feu ! Mon unique chaise dépaillée ! Un carreau cassé ! par le temps qu'il fait ! Mon épouse au lit ! malade !

— Pauvre femme ! dit M. Leblanc.

— Mon enfant blessée ! ajouta Jondrette.

L'enfant distraite par l'arrivée des étrangers, s'était mise à contempler « la demoiselle », et avait cessé de sangloter.

— Pleure donc ! braille donc ! lui dit Jondrette bas.

En même temps il lui pinça sa main malade. Tout cela avec un talent d'escamoteur[2].

La petite jeta les hauts cris.

Depuis quelques instants, Jondrette considérait « le bienfaiteur » d'une manière bizarre. Tout en parlant, il semblait le scruter avec attention comme s'il cherchait à recueillir des souvenirs. Tout à coup, profitant d'un moment où les nouveaux venus questionnaient avec intérêt la petite sur sa main blessée, il passa près de sa femme qui était dans son lit avec un air accablé et stupide, et lui dit vivement et très bas :

— Regarde donc cet homme-là !

----

1. Vantardise.
2. Magicien.

Puis se retournant vers M. Leblanc, et continuant sa lamentation :

— Voyez, monsieur ! je n'ai, moi, pour tout vêtement qu'une chemise de ma femme ! et toute déchirée ! au cœur de l'hiver. Je ne puis sortir faute d'un habit ! Et pas un sou dans la maison ! Ma femme malade, pas un sou ! Ma fille dangereusement blessée, pas un sou ! Il faudrait des secours ! mais le médecin ! mais le pharmacien ! comment payer ? pas un liard[1] ! Je m'agenouillerais devant un décime[2] monsieur ! Et savez-vous, ma charmante demoiselle, et vous, mon généreux protecteur, savez-vous, vous qui respirez la vertu et la bonté, et qui parfumez cette église où ma pauvre fille en venant faire sa prière vous aperçoit tous les jours ?... que j'élève mes filles dans la religion, monsieur ! Je ne badine[3] pas, moi ! Je leur flanque des bouzins[4] sur l'honneur, sur la morale, sur la vertu ! Demandez-leur. Il faut que ça marche droit ! Eh bien, monsieur, mon digne monsieur, savez-vous ce qui va se passer demain ? Demain, c'est le 4 février, le jour fatal ; si ce soir je n'ai pas payé mon propriétaire, demain, ma fille aînée, moi, mon épouse avec sa fièvre, mon enfant avec sa blessure, nous serons tous quatre chassés d'ici, et jetés dehors, dans la rue, sur le boulevard, sans abri, sous la pluie, sur la neige. Voilà, mon-

_____

1. Monnaie de peu de valeur.
2. Dixième du franc.
3. Plaisante.
4. Tapages, discours à grands cris (argot).

sieur. Je dois quatre termes, une année ! c'est-à-dire une soixantaine de francs.

Jondrette mentait. Quatre termes n'eussent fait que quarante francs, et il n'en pouvait devoir quatre, puisqu'il n'y avait pas six mois que Marius en avait payé deux.

M. Leblanc tira cinq francs de sa poche et les jeta sur la table.

Jondrette eut le temps de grommeler à l'oreille de sa grande fille :

— Gredin ! que veut-il que je fasse avec ses cinq francs ?

Cependant, M. Leblanc avait quitté une grande redingote brune qu'il portait par-dessus sa redingote bleue et l'avait jetée sur le dos de la chaise.

— Monsieur, dit-il, je n'ai plus que ces cinq francs sur moi, je vais reconduire ma fille à la maison et je reviendrai ce soir à six heures, et je vous apporterai les soixante francs.

— Mon bienfaiteur ! cria Jondrette éperdu.

M. Leblanc avait repris le bras de la belle jeune fille et se tournait vers la porte.

— À ce soir, mes amis, dit-il.

— O mon protecteur, dit Jondrette, mon auguste[1] bienfaiteur, je fonds en larmes ! Souffrez que je vous reconduise jusqu'à votre fiacre.

_____

1. Illustre, respectable.

— Si vous sortez, repartit M. Leblanc, mettez ce pardessus. Il fait vraiment très froid.

Jondrette ne se le fit pas dire deux fois. Il endossa vivement la redingote brune. Et ils sortirent tous les trois, Jondrette précédant les deux étrangers.

10

Offres de service de la misère à la douleur

Marius n'avait rien perdu de toute cette scène, et pourtant en réalité il n'en avait rien vu. Ses yeux étaient restés fixés sur la jeune fille.

Quand elle sortit, il n'eut qu'une pensée, la suivre. Il sauta à bas de la commode, prit son chapeau et sortit de sa chambre.

Il n'y avait plus personne dans le corridor. Il courut à l'escalier. Il n'y avait personne dans l'escalier. Il descendit en hâte, et il arriva sur le boulevard à temps pour voir un fiacre tourner le coin de la rue du Petit-Banquier et rentrer dans Paris.

Marius se précipita dans cette direction. En ce moment, hasard inouï, Marius aperçut un cabriolet qui passait à vide sur le boulevard. Il fit signe au cocher d'arrêter, et lui cria :

— À l'heure[1] !

Marius était sans cravate, il avait son vieil habit de travail auquel des boutons manquaient, sa chemise était déchirée à l'un des plis de la poitrine. Le cocher s'arrêta, cligna de l'œil et étendit vers Marius sa main gauche en se frottant doucement son index avec son pouce.

— Payez d'avance, dit le cocher.

Marius se souvint qu'il n'avait sur lui que seize sous.

— Combien ? demanda-t-il.

— Quarante sous.

— Je payerai en revenant.

Le cocher, pour toute réponse, siffla l'air de La Palisse et fouetta son cheval.

Marius regarda le cabriolet s'éloigner d'un air égaré. Pour vingt-quatre sous qui lui manquaient, il perdait sa joie, son bonheur, son amour ! Il songea amèrement et, il faut bien le dire, avec un regret profond, aux cinq francs qu'il avait donnés le matin même à cette misérable fille. Il rentra dans la masure désespéré.

Marius monta l'escalier à pas lents ; à l'instant où il allait rentrer dans sa cellule, il aperçut derrière lui dans le corridor la Jondrette aînée qui le suivait. Cette fille lui fut odieuse à voir.

1. En payant pour le temps de transport.

Marius entra dans sa chambre et poussa sa porte derrière lui.

Elle ne se ferma pas ; il se retourna et vit la main de la Jondrette qui retenait la porte entr'ouverte.

— C'est vous ? demanda Marius presque durement, toujours vous donc ! Que me voulez-vous ?

Elle semblait pensive et ne regardait pas. Elle n'avait plus son assurance du matin.

— Monsieur Marius, vous avez l'air triste. Qu'est-ce que vous avez ?

— Laissez-moi tranquille !

— Tenez, dit-elle, vous avez tort. Quoique vous ne soyez pas riche, vous avez été bon ce matin. Soyez-le encore à présent. Vous avez du chagrin, cela se voit. Je ne voudrais pas que vous eussiez du chagrin. Qu'est-ce qu'il faut faire pour cela ? Puis-je servir à quelque chose ? Employez-moi. Je ne vous demande pas vos secrets, vous n'aurez pas besoin de me dire, mais enfin je peux être utile. Je peux bien vous aider, puisque j'aide mon père. Quand il faut porter des lettres, aller dans les maisons, demander de porte en porte, trouver une adresse, suivre quelqu'un, moi je sers à ça.

Une idée traversa l'esprit de Marius. Il s'approcha de la Jondrette.

— Écoute... lui dit-il.

Elle l'interrompit avec un éclair de joie dans les yeux.

— Oh ! oui, tutoyez-moi ! j'aime mieux cela.

— Eh bien, reprit-il, tu as amené ici ce vieux monsieur avec sa fille...

— Oui.

— Sais-tu leur adresse ?

— Non.

— Trouve-la-moi.

L'œil de la Jondrette, de morne, était devenu joyeux, de joyeux, il devint sombre.

— Est-ce que vous les connaissez ?

— Non.

— C'est-à-dire, reprit-elle vivement, vous ne la connaissez pas, mais vous voulez la connaître.

Ce *les* qui était devenu *la* avait je ne sais quoi de significatif et d'amer.

— Enfin, peux-tu ? dit Marius.

— Vous aurez l'adresse de la belle demoiselle.

Elle baissa la tête, puis d'un mouvement brusque elle tira la porte qui se referma.

Marius se retrouva seul. Il se laissa tomber sur une chaise, la tête et les deux coudes sur son lit, comme en proie à un vertige.

Tout à coup il fut violemment arraché à sa rêverie.

Il entendit la voix haute et dure de Jondrette prononcer ces paroles :

— Je te dis que j'en suis sûr et que je l'ai reconnu.

De qui parlait Jondrette ? il avait reconnu qui ? M. Leblanc ? le père de « son Ursule » ? quoi ! est-ce que Jondrette le connaissait ? Marius allait-il savoir qui était cette jeune fille ? qui était son père ?

Il bondit plutôt qu'il ne monta sur la commode, et reprit sa place près de la petite lucarne de la cloison.

Rien n'était changé dans l'aspect de la famille, sinon que la femme et les filles avaient puisé dans le paquet, et mis des bas et des camisoles de laine. Deux couvertures neuves étaient jetées sur les deux lits.

Le Jondrette venait évidemment de rentrer. Il avait encore l'essoufflement du dehors. Ses filles étaient près de la cheminée, assises à terre, l'aînée pansant la main de la cadette. Jondrette marchait dans le galetas de long en large à grands pas. Il avait des yeux extraordinaires.

La femme, qui semblait timide et frappée de stupeur devant son mari, se hasarda à lui dire :

— Quoi, vraiment ? tu es sûr ?

— Sûr ! Il y a huit ans ! Ah ! je le reconnais ! je l'ai reconnu tout de suite ! Quoi, cela ne t'a pas sauté aux yeux ?

— Non.

— Mais je t'ai dit pourtant : fais attention ! mais c'est la taille, c'est le visage, à peine plus vieux, il y a des gens qui ne vieillissent pas. Il est mieux mis, voilà tout ! Ah ! vieux mystérieux du diable, je te tiens, va !

Il s'arrêta et dit à ses filles :

— Allez-vous-en, vous autres !

Elles se levèrent pour obéir.

Au moment où elles allaient passer la porte, le père retint l'aînée par le bras et dit avec un accent particulier :

— Vous serez ici à cinq heures précises. Toutes les deux. J'aurai besoin de vous.

Marius redoubla d'attention.

Demeuré seul avec sa femme, Jondrette se remit à marcher dans la chambre et en fit deux ou trois fois le tour en silence.

Tout à coup il se tourna vers la Jondrette, croisa les bras, et s'écria :

— Et veux-tu que je te dise une chose ? La demoiselle...

Mais le Jondrette s'était penché, et avait parlé bas à sa femme. Puis il se releva et termina tout haut :

— C'est elle !

— Pas possible ! s'écria-t-elle. Quand je pense que mes filles vont nu-pieds et n'ont pas une robe à se mettre ! Comment ! une pelisse[1] de satin, un chapeau de velours, des brodequins[2], et tout ! pour plus de deux cents francs d'effets[3] ! qu'on croirait que c'est une dame ! Non, tu te trompes ! Mais d'abord l'autre était affreuse, celle-ci n'est pas mal !

— Je te dis que c'est elle. Tu verras.

À cette affirmation si absolue, la Jondrette leva sa large face rouge et blonde et regarda le plafond avec une expression difforme. En ce moment elle parut à Marius plus redoutable encore que son mari. C'était une truie avec le regard d'une tigresse.

---

1. Manteau garni de fourrure.
2. Chaussures montantes.
3. Vêtements.

— Quoi ! reprit-elle, cette horrible belle demoiselle qui regardait mes filles d'un air de pitié, ce serait cette gueuse ! Oh ! je voudrais lui crever le ventre à coups de sabot !

Elle sauta à bas du lit et resta un moment debout décoiffée, les narines gonflées, la bouche entr'ouverte, les poings crispés et rejetés en arrière. Puis elle se laissa retomber sur le grabat.

Après quelques instants de silence, il s'approcha de la Jondrette et s'arrêta devant elle, les bras croisés, comme le moment d'auparavant.

— Et veux-tu que je te dise encore une chose ? C'est que ma fortune est faite.

La Jondrette le considéra de ce regard qui veut dire : Est-ce que celui qui me parle deviendrait fou ?

Lui continua :

— Tonnerre ! voilà pas mal longtemps que j'en ai assez eu de la misère ! je veux manger à ma faim, je veux boire à ma soif ! bâfrer ! dormir ! ne rien faire ! je veux avoir mon tour, moi, tiens ! avant de crever ! je veux être un peu millionnaire ! Comme les autres.

— Qu'est-ce que tu veux dire ? demanda la femme.

— Écoute bien. Il est pris, le crésus[1] ! C'est tout comme. C'est déjà fait. Tout est arrangé. J'ai vu des gens. Il viendra ce soir à six heures. Apporter ses soixante francs, canaille ! As-tu vu comme je vous ai débagoulé[2] ça, mes soixante francs, mon propriétaire,

1. Homme très riche.
2. Raconté (argot).

118

mon 4 février ! ce n'est seulement pas un terme ! était-ce bête ! Il viendra donc à six heures ! c'est l'heure où le voisin est allé dîner. La mère Burgon lave la vaisselle en ville. Il n'y a personne dans la maison. Le voisin ne rentre jamais avant onze heures. Les petites feront le guet. Tu nous aideras. Il s'exécutera.

— Et s'il ne s'exécute pas ? demanda la femme.

Jondrette fit un geste sinistre et dit :

— Nous l'exécuterons.

Et il éclata de rire.

C'était la première fois que Marius le voyait rire.

Ce rire était froid et doux, et faisait frissonner. Jondrette ouvrit un placard près de la cheminée et en tira une vieille casquette qu'il mit sur sa tête après l'avoir brossée avec sa manche.

— Maintenant, fit-il, je sors. J'ai encore des gens à voir. Tu verras comme ça va marcher.

Et, les deux poings dans les deux goussets[1] de son pantalon, il resta un moment pensif, puis s'écria :

— Sais-tu qu'il est tout de même bien heureux qu'il ne m'ait pas reconnu, lui ! S'il m'avait reconnu de son côté, il ne serait pas revenu. Il nous échappait ! C'est ma barbe qui m'a sauvé ! ma jolie petite barbiche romantique.

Il se remit à rire. Et, enfonçant la casquette sur ses yeux, il sortit.

À peine avait-il eu le temps de faire quelques pas

---

1. Poches.

dehors que la porte se rouvrit et que son profil fauve et intelligent reparut par l'ouverture.

— J'oubliais, dit-il. Tu auras un réchaud de charbon.

Et il jeta dans le tablier de sa femme la pièce de cinq francs que lui avait laissée le « bienfaiteur ».

Jondrette referma la porte, et cette fois Marius entendit son pas s'éloigner dans le corridor de la masure et descendre rapidement l'escalier.

Une heure sonnait en cet instant à Saint-Médard.

11

Où l'on voit réapparaître Javert

Marius, tout songeur qu'il était, était, nous l'avons dit, une nature ferme et énergique. Il avait pitié d'un crapaud, mais il écrasait une vipère. Or, c'était dans un trou de vipères que son regard venait de plonger.

— Il faut mettre le pied sur ces misérables, dit-il.

À travers les paroles ténébreuses qui avaient été dites, il n'entrevoyait distinctement qu'une chose, c'est qu'un guet-apens terrible se préparait ; c'est qu'ils couraient tous les deux un grand danger, elle probablement, son père à coup sûr ; c'est qu'il fallait les sauver.

Il observa un moment la Jondrette. Elle avait tiré d'un coin un vieux fourneau de tôle et elle fouillait dans des ferrailles.

Il descendit de la commode le plus doucement qu'il put et en ayant soin de ne faire aucun bruit. Une heure venait de sonner, le guet-apens devait s'accomplir à six heures. Marius avait cinq heures devant lui.

Il mit son habit passable, se noua un foulard au cou, prit son chapeau, et sortit, sans faire plus de bruit que s'il eût marché sur de la mousse avec des pieds nus.

Une fois hors de la maison, il gagna la rue du Petit-Banquier.

Il était vers le milieu de cette rue près d'un mur très bas ; tout à coup il entendit des voix qui parlaient tout près de lui. Il tourna la tête, la rue était déserte, il n'y avait personne. Il eut l'idée de regarder par-dessus le mur qu'il côtoyait.

Il y avait là en effet deux hommes adossés à la muraille, assis dans la neige et se parlant bas. L'un était un homme barbu en blouse et l'autre un homme chevelu en guenilles.

Le chevelu poussait l'autre du coude et disait :

— Avec Patron-Minette, ça ne peut pas manquer.

— Crois-tu ? dit le barbu ; et le chevelu repartit :

— Je te dis que l'affaire ne peut pas manquer. La maringotte[1] du père Chose sera attelée.

Puis ils se mirent à parler d'un mélodrame[2] qu'ils avaient vu la veille à la Gaîté.

Marius continua son chemin. Il lui semblait que les paroles obscures de ces hommes, si étrangement

1. Petite voiture.
2. Pièce de théâtre populaire.

cachés derrière ce mur et accroupis dans la neige, n'étaient pas peut-être sans quelque rapport avec les abominables projets de Jondrette.

Il se dirigea vers le faubourg Saint-Marceau et demanda à la première boutique qu'il rencontra où il y avait un commissariat de police.

On lui indiqua la rue de Pontoise et le numéro 14.

Marius s'y rendit, monta au premier et demanda l'inspecteur de police. Le garçon du bureau l'introduisit dans le cabinet de l'inspecteur. Un homme de haute taille s'y tenait debout, derrière une grille, appuyé à un poêle, et relevant de ses deux mains les pans d'un vaste carrick[1] à trois collets. C'était une figure carrée, une bouche mince et ferme, d'épais favoris grisonnants très farouches, un regard à retourner vos poches. On eût pu dire de ce regard, non qu'il pénétrait, mais qu'il fouillait.

— Que voulez-vous ? dit-il à Marius, sans ajouter monsieur.

— C'est pour une affaire très secrète et très pressée.

— Alors parlez vite.

Cet homme, calme et brusque, était tout à la fois effrayant et rassurant. Il inspirait la crainte et la confiance. Marius lui conta l'aventure. – Qu'une personne qu'il ne connaissait que de vue devait être attirée le soir même dans un guet-apens ; – qu'habitant

_____

1. Grand manteau.

la chambre voisine du repaire il avait, lui Marius Pont-mercy, entendu tout le complot à travers la cloison ; – que le scélérat qui avait imaginé le piège était un nommé Jondrette ; – qu'il aurait des complices ; – que les filles de Jondrette feraient le guet ; – qu'il n'existait aucun moyen de prévenir l'homme menacé, attendu qu'on ne savait même pas son nom ; – et qu'enfin tout cela devait s'exécuter à six heures du soir au point le plus désert du boulevard de l'Hôpital, dans la maison du numéro 50-52.

À ce numéro, l'inspecteur leva la tête, et dit froidement :

— C'est donc dans la chambre du fond du corridor ?

— Précisément, fit Marius, et il ajouta : – Est-ce que vous connaissez cette maison ?

L'inspecteur resta un moment silencieux, puis répondit :

— Apparemment.

Il continua dans ses dents, parlant moins à Marius qu'à sa cravate :

— Il doit y avoir un peu de Patron-Minette là-dedans.

Ce mot frappa Marius.

— Patron-Minette, dit-il. J'ai en effet entendu prononcer ce mot-là.

Et il raconta à l'inspecteur le dialogue de l'homme chevelu et de l'homme barbu dans la neige derrière le mur de la rue du Petit-Banquier.

L'inspecteur grommela :

— Le chevelu doit être Brujon, et le barbu doit être Demi-Liard, dit Deux-Milliards.

Il avait de nouveau baissé les paupières, et il méditait. Puis il reprit :

— Les locataires de cette maison-là ont des passe-partout pour rentrer la nuit chez eux. Vous devez en avoir un ?

— Oui, dit Marius.

— Donnez-le-moi, dit l'inspecteur.

Marius prit sa clef dans son gilet, la remit à l'inspecteur, et ajouta :

— Si vous m'en croyez, vous viendrez en force.

L'inspecteur jeta sur Marius un coup d'œil et il plongea d'un seul mouvement ses deux mains, qui étaient énormes, dans deux immenses poches de son carrick, et en tira deux petits pistolets d'acier. Il les présenta à Marius :

— Prenez ceci. Rentrez chez vous. Cachez-vous dans votre chambre. Qu'on vous croie sorti. Ils sont chargés. Chacun de deux balles. Vous observerez, il y a un trou au mur, comme vous me l'avez dit. Les gens viendront. Laissez-les aller un peu. Quand vous jugerez la chose à point et qu'il sera temps de l'arrêter, vous tirerez un coup de pistolet en l'air. Le reste me regarde.

Marius cacha les pistolets dans ses goussets.

— Maintenant, poursuivit l'inspecteur, il n'y a plus une minute à perdre pour personne.

Et comme Marius mettait la main au loquet de la porte pour sortir, l'inspecteur lui cria :

— À propos, si vous aviez besoin de moi d'ici là, venez ou envoyez ici. Vous feriez demander l'inspecteur Javert.

Marius regagna à grands pas le n° 50-52. La porte était encore ouverte quand il arriva. Il monta l'escalier sur la pointe du pied et se glissa le long du mur du corridor jusqu'à sa chambre. Ce corridor, on s'en souvient, était bordé des deux côtés de galetas en ce moment tous à louer et vides. Mame Burgon en laissait habituellement les portes ouvertes. En passant devant une de ces portes, Marius crut apercevoir dans la cellule inhabitée quatre têtes d'hommes immobiles que blanchissait vaguement un reste de jour tombant par une lucarne. Marius ne chercha pas à voir, ne voulant pas être vu. Il parvint à rentrer dans sa chambre sans être aperçu et sans bruit. Il était temps. Un moment après, il entendit mame Burgon qui s'en allait et la porte de la maison qui se fermait.

Marius s'assit sur son lit. Il pouvait être cinq heures et demie. Une demi-heure seulement le séparait de ce qui allait arriver. Il entendait battre ses artères.

Il y avait de la lumière dans le taudis Jondrette. Marius voyait le trou de la cloison briller d'une clarté rouge qui lui paraissait sanglante. Marius ôta doucement ses bottes et les poussa sous son lit.

Quelques minutes s'écoulèrent. Marius entendit la porte d'en bas tourner sur ses gonds, un pas lourd et rapide monta l'escalier et parcourut le corridor, le loquet du bouge se souleva avec bruit ; c'était Jondrette qui rentrait.

Tout de suite plusieurs voix s'élevèrent. Toute la famille était dans le galetas.

— Eh bien ? dit la mère.

— Tout va à la papa[1], répondit Jondrette, mais j'ai un froid de chien aux pieds. Bon, c'est cela, tu t'es habillée. Il faudra que tu puisses inspirer de la confiance.

Alors Marius l'entendit poser quelque chose de lourd sur la table.

— Ah çà, reprit Jondrette, a-t-on mangé ici ?

— Oui, dit la mère, j'ai eu trois grosses pommes de terre et du sel. J'ai profité du feu pour les faire cuire.

Jondrette baissa la voix pour dire :

— Mets ça dans le feu.

Marius entendit un cliquetis de charbon qu'on heurtait avec une pincette ou un outil en fer, et Jondrette continua :

— As-tu suiffé[2] les gonds de la porte pour qu'ils ne fassent pas de bruit ?

— Oui, répondit la mère. Il va être six heures.

— Diable ! fit Jondrette. Il faut que les petites aillent faire le guet. Venez, vous autres, écoutez ici.

Il y eut un chuchotement.

Un moment après, Marius entendit le bruit des

----

1. Comme il faut.
2. Graissé.

pieds nus des deux jeunes filles dans le corridor et la voix de Jondrette qui leur criait :

— Faites bien attention ! l'une du côté de la barrière, l'autre au coin de la rue du Petit-Banquier. Ne perdez pas de vue une minute la porte de la maison, et pour peu que vous voyiez quelque chose, tout de suite ici ! quatre à quatre ! Vous avez une clef pour rentrer.

La fille aînée grommela :

— Faire faction nu-pieds dans la neige !

— Demain vous aurez des bottines de soie ! dit le père.

Elles descendirent l'escalier, et, quelques secondes après, le choc de la porte d'en bas qui se refermait annonça qu'elles étaient dehors.

Il n'y avait plus dans la maison que Marius et les Jondrette, et probablement aussi les êtres mystérieux entrevus par Marius dans le crépuscule.

12

Emploi de la pièce de cinq francs de Marius

Marius jugea que le moment était venu de reprendre sa place à son observatoire. En un clin d'œil, et avec la souplesse de son âge, il fut près du trou de la cloison.

Le taudis tout entier était comme illuminé par la réverbération d'un assez grand réchaud rempli de charbon allumé. Un ciseau rougissait enfoncé dans la braise. On voyait dans un coin près de la porte, et comme disposés pour un usage prévu, deux tas qui paraissaient être l'un un tas de ferrailles, l'autre un tas de cordes.

Jondrette avait allumé sa pipe, s'était assis sur la chaise dépaillée, et fumait. Sa femme lui parlait bas.

Tout à coup Jondrette haussa la voix.

— À propos ! j'y songe. Par le temps qu'il fait il va venir en fiacre. Allume la lanterne, prends-la, et descends. Tu te tiendras derrière la porte en bas. Au moment où tu entendras la voiture s'arrêter, tu ouvriras tout de suite, il montera, tu l'éclaireras dans l'escalier et dans le corridor, et pendant qu'il entrera ici, tu redescendras bien vite, tu payeras le cocher et tu renverras le fiacre. Jondrette fouilla dans son pantalon, et lui remit cinq francs.

— Qu'est-ce que c'est que ça ? s'écria-t-elle.

Jondrette répondit avec dignité :

— C'est le monarque que le voisin a donné ce matin. Et il ajouta :

— Sais-tu ? il faudrait ici deux chaises.

Marius sentit un frisson lui courir dans les reins en entendant la Jondrette faire cette réponse paisible :

— Pardieu ! je vais t'aller chercher celles du voisin.

Et d'un mouvement rapide elle ouvrit la porte du bouge et sortit dans le corridor.

Marius n'avait pas matériellement le temps de descendre de la commode, d'aller jusqu'à son lit et de s'y cacher. Il entendit la lourde main de la mère Jondrette chercher en tâtonnant sa clef dans l'obscurité. La porte s'ouvrit. Il resta cloué à sa place par le saisissement et la stupeur. La Jondrette entra, ne vit pas Marius et prit les deux chaises, les seules que Marius possédât, et s'en alla, en laissant la porte retomber bruyamment derrière elle.

Elle entra dans le bouge.

— Voici les deux chaises.

— Et voilà la lanterne, dit le mari. Descends bien vite.

Elle obéit en hâte, et Jondrette resta seul.

Il disposa les deux chaises des deux côtés de la table, retourna le ciseau dans le brasier, mit devant la cheminée un vieux paravent, qui masquait le réchaud, puis alla au coin où était le tas de cordes et se baissa comme pour y examiner quelque chose. Marius reconnut alors une échelle de corde très bien faite avec des échelons de bois et deux crampons pour l'accrocher.

Cette échelle et quelques gros outils, véritables masses de fer, qui étaient mêlés au monceau de ferrailles entassé derrière la porte, n'étaient point le matin dans le bouge Jondrette et y avaient été évidemment apportés dans l'après-midi, pendant l'absence de Marius.

Il y avait dans cette chambre je ne sais quel calme hideux et menaçant. On y sentait l'attente de quelque chose d'épouvantable.

Jondrette avait laissé sa pipe s'éteindre, grave signe de préoccupation, et était venu se rasseoir. La chandelle faisait saillir les angles farouches et fins de son visage. Il avait des froncements de sourcils et de brusques épanouissements de la main droite comme s'il répondait aux derniers conseils d'un sombre monologue intérieur. Dans une de ces obscures répliques qu'il se faisait à lui-même, il amena vivement à lui le tiroir de la table, y prit un long couteau de cui-

131

sine qui y était caché et en essaya le tranchant sur son ongle. Cela fait, il remit le couteau dans le tiroir, qu'il repoussa.

Marius de son côté saisit le pistolet qui était dans son gousset droit, l'en retira et l'arma.

Tout à coup la vibration lointaine et mélancolique d'une cloche ébranla les vitres. Six heures sonnaient à Saint-Médard.

Jondrette marqua chaque coup d'un hochement de tête. Le sixième sonné, il moucha[1] la chandelle avec ses doigts.

Puis il se mit à marcher dans la chambre, écouta dans le corridor : – Pourvu qu'il vienne ! grommela-t-il ; puis il revint à sa chaise. Il se rasseyait à peine que la porte s'ouvrit. La mère Jondrette l'avait ouverte et restait dans le corridor, faisant une horrible grimace aimable qu'un des trous de la lanterne sourde éclairait d'en bas.

— Entrez, monsieur, dit-elle.

— Entrez, mon bienfaiteur, répéta Jondrette se levant précipitamment.

M. Leblanc parut.

Il avait un air de sérénité qui le faisait singulièrement vénérable. Il posa sur la table quatre louis.

— Monsieur, dit-il, voici pour votre loyer et vos premiers besoins. Nous verrons ensuite.

— Dieu vous le rende, mon généreux bienfaiteur !

----

1. Éteignit.

dit Jondrette ; et, s'approchant rapidement de sa femme :

— Renvoie le fiacre !

Elle s'esquiva[1] pendant que son mari prodiguait les saluts et offrait une chaise à M. Leblanc. Un instant après elle revint et lui dit bas à l'oreille :

— C'est fait.

La neige qui n'avait cessé de tomber depuis le matin était tellement épaisse qu'on n'avait point entendu le fiacre arriver, et qu'on ne l'entendit pas s'en aller.

Cependant M. Leblanc s'était assis, et il tourna les yeux vers les grabats qui étaient vides.

— Comment va la pauvre petite blessée ? demanda-t-il.

— Mal, répondit Jondrette avec un sourire navré et reconnaissant, très mal, mon digne monsieur. Sa sœur aînée l'a menée à la Bourbe se faire panser. Vous allez les voir, elles vont rentrer tout à l'heure.

— Madame Jondrette me paraît mieux portante ? reprit M. Leblanc en jetant les yeux sur le bizarre accoutrement de la Jondrette, qui, debout entre lui et la porte, comme si elle gardait déjà l'issue, le considérait dans une posture de menace et presque de combat.

— Elle est mourante, dit Jondrette. Mais que voulez-vous, monsieur ? elle a tant de courage, cette femme-là ! Ce n'est pas une femme, c'est un bœuf.

---

1. S'en alla discrètement.

Ah ! c'est que nous avons toujours fait bon ménage, cette pauvre chérie et moi ! Qu'est-ce qu'il nous resterait, si nous n'avions pas cela ? Nous sommes si malheureux, mon respectable monsieur ! On a des bras, pas de travail ! On a du cœur, pas d'ouvrage[1] ! Quelle chute, mon bienfaiteur ! Quelle dégradation quand on a été ce que nous étions ! Hélas ! il ne nous reste rien de notre temps de prospérité ! Rien qu'une seule chose, un tableau auquel je tiens, mais dont je me déferais pourtant, car il faut vivre ! item[2], il faut vivre !

Pendant que Jondrette parlait, avec une sorte de désordre apparent qui n'ôtait rien à l'expression réfléchie et sagace[3] de sa physionomie, Marius leva les yeux et aperçut au fond de la chambre un homme qui venait d'entrer, si doucement qu'on n'avait pas entendu tourner les gonds de la porte. Cet homme avait un gilet de tricot violet, vieux, usé, taché, un large pantalon de velours de coton, des chaussons à sabots aux pieds, pas de chemise, le cou nu, les bras nus et tatoués, et le visage barbouillé de noir. Il s'était assis en silence et les bras croisés sur le lit le plus voisin, et, comme il se tenait derrière la Jondrette, on ne le distinguait que confusément.

Cette espèce d'instinct magnétique[4] qui avertit le regard fit que M. Leblanc se tourna presque en même

---

1. Travail.
2. De plus.
3. Futée.
4. Puissant et mystérieux.

temps que Marius. Il ne put se défendre d'un mouvement de surprise qui n'échappa point à Jondrette.

— Qu'est-ce que c'est que cet homme ? dit M. Leblanc.

— Ça ? fit Jondrette, c'est un voisin. Ne faites pas attention.

Un léger bruit se fit à la porte. Un second homme venait d'entrer et de s'asseoir sur le lit, derrière la Jondrette. Il avait, comme le premier, les bras nus et un masque d'encre ou de suie.

Quoique cet homme se fût, à la lettre, glissé dans la chambre, il ne put faire que M. Leblanc ne l'aperçut.

— Ne prenez pas garde, dit Jondrette. Ce sont des gens de la maison. Je disais donc qu'il me restait un tableau précieux... – Tenez, monsieur, voyez.

Il se leva, alla à la muraille au bas de laquelle était un panneau, et le retourna, tout en le laissant appuyé au mur. Marius n'en pouvait rien distinguer, Jondrette étant placé entre le tableau et lui.

— Qu'est-ce que c'est que cela ? demanda M. Leblanc.

Jondrette s'exclama :

— Une peinture de maître, un tableau d'un grand prix, mon bienfaiteur ! J'y tiens comme à mes deux filles, il me rappelle des souvenirs !

Soit hasard, soit qu'il y eût quelque commencement d'inquiétude, tout en examinant le tableau, le regard de M. Leblanc revint vers le fond de la chambre. Il y avait maintenant quatre hommes, trois assis sur le lit, un debout près du chambranle de la porte, tous quatre bras nus, immobiles, le visage barbouillé de noir. Un de ceux qui étaient sur le lit s'appuyait au mur, les yeux fermés, et l'on eût dit qu'il dormait. Celui-là était vieux, ses cheveux blancs sur son visage noir étaient horribles. Les deux autres semblaient jeunes. L'un était barbu, l'autre chevelu. Aucun n'avait de souliers ; ceux qui n'avaient pas de chaussons étaient pieds nus.

Jondrette remarqua que l'œil de M. Leblanc s'attachait à ces hommes.

— C'est des amis, ça voisine, dit-il. C'est barbouillé parce que ça travaille dans le charbon. Ce sont des fumistes[1]. Ne vous en occupez pas, mon bienfaiteur, mais achetez-moi mon tableau. Ayez pitié de ma misère. Je ne vous le vendrai pas cher. Combien l'estimez-vous ?

— Mais, dit M. Leblanc, en regardant Jondrette entre les deux yeux et comme un homme qui se met sur ses gardes, c'est quelque enseigne de cabaret, cela vaut bien trois francs.

Jondrette répondit avec douceur :

— Avez-vous votre portefeuille là ? je me contenterais de mille écus.

M. Leblanc se leva debout, s'adossa à la muraille et promena rapidement son regard dans la chambre. Il avait Jondrette à sa gauche du côté de la fenêtre, et la Jondrette et les quatre hommes à sa droite du côté de

---

1. Ramoneurs.

la porte. Les quatre hommes ne bougeaient pas et n'avaient pas même l'air de le voir ; Jondrette s'était remis à parler d'un accent plaintif.

— Si vous ne m'achetez pas mon tableau, cher bienfaiteur, disait Jondrette, je suis sans ressource, je n'ai plus qu'à me jeter à même la rivière. Comment voulez-vous qu'on vive ?

Tout en parlant, Jondrette ne regardait pas M. Leblanc qui l'observait. L'œil de M. Leblanc était fixé sur Jondrette et l'œil de Jondrette sur la porte. L'attention haletante de Marius allait de l'un à l'autre. M. Leblanc paraissait se demander : Est-ce un idiot ? Jondrette répéta deux ou trois fois avec toutes sortes d'inflexions variées dans le genre traînant et suppliant : Je n'ai plus qu'à me jeter à la rivière ! j'ai descendu l'autre jour trois marches pour cela du côté du pont d'Austerlitz !

Tout à coup sa prunelle éteinte s'illumina d'un flamboiement hideux, ce petit homme se dressa et devint effrayant, il fit un pas vers M. Leblanc. Et lui cria d'une voix tonnante :

— Il ne s'agit pas de tout cela ! me reconnaissez-vous ?

13

Le guet-apens

La porte du galetas venait de s'ouvrir brusquement, et laissait voir trois hommes en blouse de toile bleue, masqués de masques de papier noir. Le premier était maigre et avait une longue trique[1] ferrée, le second, qui était une espèce de colosse, portait, par le milieu du manche et la cognée en bas, un merlin[2] à assommer les bœufs. Le troisième, homme aux épaules trapues, moins maigre que le premier, moins massif que le second, tenait à plein poing une énorme clef volée à quelque porte de prison.

Il paraît que c'était l'arrivée de ces hommes que Jon-

---

1. Baguette.
2. Gros marteau.

drette attendait. Un dialogue rapide s'engagea entre lui et l'homme à la trique, le maigre.

— Tout est-il prêt ? dit Jondrette.

— Oui, répondit l'homme maigre.

— Y a-t-il un fiacre en bas ?

— Oui. La maringotte est attelée.

M. Leblanc était très pâle. Il considérait tout dans le bouge autour de lui comme un homme qui comprend où il est tombé, et sa tête, tour à tour dirigée vers toutes les têtes qui l'entouraient, se mouvait sur son cou avec une lenteur attentive et étonnée, mais il n'y avait dans son air rien qui ressemblât à la peur. Il s'était fait de la table un retranchement improvisé ; et cet homme qui, le moment d'auparavant, n'avait l'air que d'un bon vieux homme, était devenu subitement une sorte d'athlète, et posait son poing robuste sur le dossier de sa chaise avec un geste redoutable et surprenant.

Trois des hommes aux bras nus dont Jondrette avait dit : *ce sont des fumistes,* avaient pris dans le tas de ferrailles, l'un une grande cisaille, l'autre une pince à faire des pesées[1], le troisième un marteau, et s'étaient mis en travers de la porte sans prononcer une parole. Le vieux était resté sur le lit, et avait seulement ouvert les yeux. La Jondrette s'était assise à côté de lui.

Marius pensa qu'avant quelques secondes le moment d'intervenir serait arrivé, et il éleva sa main

---

1. Pour servir de levier.

droite vers le plafond, prêt à lâcher son coup de pistolet.

Jondrette se tourna de nouveau vers M. Leblanc et répéta sa question en l'accompagnant de ce rire bas, contenu et terrible qu'il avait :

— Vous ne me reconnaissez donc pas ?

M. Leblanc le regarda en face et répondit :

— Non.

Alors Jondrette vint jusqu'à la table. Il se pencha par-dessus la chandelle, croisant les bras, approchant sa mâchoire anguleuse et féroce du visage calme de M. Leblanc, et, dans cette posture de bête fauve qui va mordre, il cria :

— Je ne m'appelle pas Jondrette, je me nomme Thénardier ! je suis l'aubergiste de Montfermeil ! Thénardier ! Maintenant me reconnaissez-vous ?

Une imperceptible rougeur passa sur le front de M. Leblanc, et il répondit sans que sa voix tremblât :

— Pas davantage.

Marius n'entendit pas cette réponse. Qui l'eût vu en ce moment dans cette obscurité l'eût vu hagard, stupide et foudroyé. Au moment où Jondrette avait dit : *Je me nomme Thénardier*, Marius avait tremblé de tous ses membres et s'était appuyé au mur comme s'il eût senti le froid d'une lame d'épée à travers son cœur. Puis son bras droit, prêt à lâcher le coup de signal, s'était abaissé lentement. Ce nom de Thénardier, que M. Leblanc ne semblait pas connaître, Marius le connaissait. Ce nom, il l'avait porté sur son cœur, écrit dans le testament de son père ! il le portait au fond de sa pensée, au fond de sa mémoire, dans cette recommandation sacrée : « Un nommé Thénardier m'a sauvé la vie. Si mon fils le rencontre, il lui fera tout le bien qu'il pourra. » Quoi ! c'était là ce Thénardier ! Ce sauveur de son père était un bandit ! cet homme, auquel lui Marius brûlait de se dévouer, était un monstre ! ce libérateur du colonel Pontmercy était en train de commettre un attentat.

Cependant Thénardier, nous ne le nommerons plus autrement désormais, se promenait de long en large devant la table. Soudain il prit à plein poing la chandelle et la posa sur la cheminée avec un frappement si violent que la mèche faillit s'éteindre. Puis il se tourna vers M. Leblanc, effroyable, et cracha ceci :

— Flambé ! fumé ! fricassé ! à la crapaudine[1] !

Et il se remit à marcher en pleine explosion.

— Ah ! cria-t-il, je vous retrouve enfin, monsieur le millionnaire râpé ! monsieur le donneur de poupées ! vieux Jocrisse[2] ! Ah ! vous ne me reconnaissez pas ! Non, ce n'est pas vous qui êtes venu à Montfermeil, à mon auberge, il y a huit ans, la nuit de Noël 1823 ! ce n'est pas vous qui avez emmené de chez moi l'enfant de la Fantine, l'Alouette ! ce n'est pas vous qui aviez un carrick jaune ! non ! et un paquet plein de nippes à la main comme ce matin chez moi ! Ah ! vous ne me reconnaissez pas ? Eh bien, je vous reconnais, moi ! je

1. Comme une volaille qu'on aplatit avant de la faire rôtir.
2. Personnage de théâtre niais.

vous ai reconnu tout de suite dès que vous avez fourré votre mufle ici. Ah ! on va voir enfin que ce n'est pas tout rose d'aller comme cela dans les maisons des gens, sous prétexte que ce sont des auberges, avec des habits minables, avec l'air d'un pauvre, qu'on lui aurait donné un sou, tromper les personnes, faire le généreux, leur prendre leur gagne-pain. Vieux gueux, voleur d'enfants !

Il s'arrêta, et parut un moment se parler à lui-même ; puis, il frappa un coup de poing sur la table et cria :

— Parbleu ! vous vous êtes moqué de moi autrefois ! Vous êtes cause de tous mes malheurs ! Vous avez eu pour quinze cents francs une fille que j'avais, et qui était certainement à des riches, et qui m'avait déjà rapporté beaucoup d'argent, et dont je devais tirer de quoi vivre toute ma vie ! une fille qui m'aurait dédommagé de tout ce que j'ai perdu dans cette abominable gargote ! Vous avez dû me trouver farce quand vous vous en êtes allé avec l'Alouette ! C'est moi qui ai l'atout aujourd'hui ! Vous êtes fichu, mon bonhomme ! Oh ! mais je ris. Vrai, je ris ! Est-il tombé dans le panneau ! et il n'a même pas vu que c'est le 8 janvier et non le 4 février qui est un terme ! Absurde crétin ! Et ces quatre méchants philippes[1] qu'il m'apporte ! Canaille ! Il n'a même pas eu le cœur d'aller jusqu'à cent francs ! Et comme il donnait dans

---

1. Écus (monnaie).

mes platitudes ! Ça m'amusait. Je me disais : Gana-che[1] ! Va, je te tiens. Je te lèche les pattes ce matin ! Je te rongerai le cœur ce soir !

Thénardier cessa. Il était essoufflé. Sa petite poitrine étroite haletait comme un soufflet de forge. Son œil était plein de cet ignoble bonheur d'une créature faible, cruelle et lâche, joie d'un chacal qui commence à déchirer un taureau malade, assez mort pour ne plus se défendre, assez vivant pour souffrir encore.

M. Leblanc ne l'interrompit pas, mais lui dit lorsqu'il s'interrompit :

— Je ne sais ce que vous voulez dire. Vous vous méprenez. Je suis un homme très pauvre et rien moins qu'un millionnaire. Je ne vous connais pas. Vous me prenez pour un autre.

— Ah ! râla Thénardier, vous ne voyez pas qui je suis ?

— Pardon, monsieur, répondit M. Leblanc avec un accent de politesse qui avait en un pareil moment quelque chose d'étrange et de puissant. Je vois que vous êtes un bandit.

À ce mot de bandit, la femme Thénardier se jeta à bas du lit, Thénardier saisit sa chaise comme s'il allait la briser dans ses mains. – Ne bouge pas, toi ! cria-t-il à sa femme ; et se tournant vers M. Leblanc :

— Bandit ! oui, je sais que vous nous appelez comme cela, messieurs les gens riches ! Tiens ! c'est

_____
1. Imbécile.

vrai, j'ai fait faillite, je me cache, je n'ai pas de pain, je n'ai pas le sou, je suis un bandit ! Voilà trois jours que je n'ai pas mangé, je suis un bandit ! Ah ! vous vous chauffez les pieds vous autres, vous avez des redingotes ouatées comme des archevêques, vous logez au premier dans des maisons à portier, vous mangez des truffes, vous mangez des bottes d'asperges à quarante francs au mois de janvier, des petits pois, vous vous gavez, et, quand vous voulez savoir s'il fait froid, vous regardez dans le journal ce que marque le thermomètre de l'ingénieur Chevallier. Nous ! c'est nous qui sommes les thermomètres, nous n'avons pas besoin d'aller voir sur le quai au coin de la tour de l'Horloge combien il y a de degrés de froid, nous sentons le sang se figer dans nos veines et la glace nous arriver au cœur, et nous disons : Il n'y a pas de Dieu ! Et vous venez dans nos cavernes, nous appeler bandits ! Mais nous vous mangerons ! mais nous vous dévorerons, pauvres petits ! Monsieur le millionnaire ! sachez ceci : J'ai été un homme établi, j'ai été patenté[1], j'ai été lecteur, je suis un bourgeois, moi ! et vous n'en êtes peut-être pas un, vous !

Ici Thénardier fit un pas vers les hommes qui étaient près de la porte, et ajouta avec un frémissement :

— Quand je pense qu'il ose venir me parler comme à un savetier !

---

1. Qui possède l'autorisation d'exercer un commerce.

Puis s'adressant à M. Leblanc avec une recrudescence de frénésie :

— Et sachez encore ceci, monsieur le « bienfaiteur » ! je ne suis pas un homme louche, moi ! je ne suis pas un homme dont on ne sait point le nom et qui vient enlever des enfants dans les maisons ! Je suis un ancien soldat français, je devrais être décoré ! J'étais à Waterloo, moi ! et j'ai sauvé dans la bataille un général appelé le comte de je ne sais quoi ! Il m'a dit son nom ; mais sa chienne de voix était si faible que je ne l'ai pas entendu. Je n'ai entendu que *Merci*. J'aurais mieux aimé son nom que son remerciement. Cela m'aurait aidé à le retrouver. Ce tableau que vous voyez, et qui a été peint par David à Bruqueselles, savez-vous qui il représente ? il représente moi. David a voulu immortaliser ce fait d'armes. J'ai ce général sur mon dos, et je l'emporte à travers la mitraille. Voilà l'histoire. Il n'a même jamais rien fait pour moi, ce général-là, il ne valait pas mieux que les autres ! Je ne lui en ai pas moins sauvé la vie au danger de la mienne, et j'en ai les certificats plein mes poches ! Je suis un soldat de Waterloo, mille noms de noms ! Et maintenant que j'ai eu la bonté de vous dire tout ça, finissons, il me faut de l'argent, il me faut beaucoup d'argent, il me faut énormément d'argent, ou je vous extermine, tonnerre du bon Dieu !

Marius avait repris quelque empire sur ses angoisses, et écoutait. La dernière possibilité de doute venait de s'évanouir. C'était bien le Thénardier du testament. Marius frissonna à ce reproche d'ingratitude adressé à son père. Ses perplexités en redoublèrent. Du reste il y avait dans toutes ces paroles de Thénardier, dans l'accent, dans le geste, dans le regard qui faisait jaillir des flammes de chaque mot, quelque chose qui était hideux comme le mal et poignant comme le vrai.

Le tableau de maître, la peinture de David dont il avait proposé l'achat à M. Leblanc, n'était autre que l'enseigne de sa gargote, peinte par lui-même, seul débris qu'il eût conservé de son naufrage de Montfermeil.

Quand Thénardier eut repris haleine, il attacha sur M. Leblanc ses prunelles sanglantes, et lui dit d'une voix basse et brève.

— Qu'as-tu à dire avant qu'on te mette en brindezingues[1] ?

M. Leblanc se taisait. Au milieu de ce silence une voix éraillée lança du corridor ce sarcasme lugubre :

— S'il faut fendre du bois, je suis là, moi !

C'était l'homme au merlin qui s'égayait.

— Pourquoi as-tu ôté ton masque ? lui cria Thénardier avec fureur.

— Pour rire, répliqua l'homme.

Depuis quelques instants, M. Leblanc semblait suivre et guetter tous les mouvements de Thénardier,

---

1. Qu'on te rende fou.

qui, dans son apostrophe à l'homme au merlin, lui tournait le dos.

M. Leblanc saisit ce moment, repoussa du pied la chaise, du poing la table, et d'un bond, avec une agilité prodigieuse, avant que Thénardier eût eu le temps de se retourner il était à la fenêtre. L'ouvrir, escalader l'appui, l'enjamber, ce fut une seconde. Il était à moitié dehors quand six poings robustes le saisirent et le ramenèrent énergiquement dans le bouge. C'étaient les trois « fumistes » qui s'étaient élancés sur lui. En même temps, la Thénardier l'avait empoigné aux cheveux.

Au piétinement qui se fit, les autres bandits accoururent du corridor. Le vieux qui était sur le lit et qui semblait pris de vin, descendit du grabat et arriva en chancelant, un marteau de cantonnier à la main.

Un des « fumistes » levait au-dessus de la tête de M. Leblanc une espèce d'assommoir fait de deux pommes de plomb aux deux bouts d'une barre de fer.

Marius ne put résister à ce spectacle. – Mon père, pensa-t-il, pardonne-moi ! – Et son doigt chercha la détente du pistolet. Le coup allait partir lorsque la voix de Thénardier l'arrêta :

— Ne lui faites pas de mal !

Devant cette phase nouvelle, Marius ne vit point d'inconvénient à attendre encore. Qui sait si quelque chance ne surgirait pas qui le délivrerait de l'affreuse alternative de laisser périr le père d'Ursule ou de perdre le sauveur du colonel ?

Une lutte herculéenne[1] s'était engagée. D'un coup de poing en plein torse M. Leblanc avait envoyé le vieux rouler au milieu de la chambre, puis de deux revers de main il avait terrassé deux autres assaillants, et il en tenait un sous chacun de ses genoux ; les misérables râlaient sous cette pression comme sous une meule de granit ; mais les quatre autres avaient saisi le redoutable vieillard aux deux bras et à la nuque et le tenaient accroupi sur les deux « fumistes » terrassés. Ainsi, maître des uns et maîtrisé par les autres, écrasant ceux d'en bas et étouffant sous ceux d'en haut, secouant vainement tous les efforts qui s'entassaient sur lui, M. Leblanc disparaissait sous le groupe horrible des bandits comme un sanglier sous un monceau hurlant de dogues et de limiers[2].

Ils parvinrent à le renverser sur le lit le plus proche de la croisée et l'y tinrent en respect. La Thénardier ne lui avait pas lâché les cheveux.

— Toi, dit Thénardier, ne t'en mêle pas. – Vous autres, fouillez-le.

M. Leblanc semblait avoir renoncé à la résistance. On le fouilla. Il n'avait rien sur lui qu'une bourse en cuir qui contenait six francs, et son mouchoir.

Thénardier mit le mouchoir dans sa poche puis il alla au coin de la porte et y prit un paquet de cordes, qu'il leur jeta.

— Attachez-le au pied du lit, dit-il.

---

1. Gigantesque.
2. Gros chiens.

Le grabat où M. Leblanc avait été renversé était une façon de lit d'hôpital porté sur quatre montants grossiers en bois à peine équarri[1]. M. Leblanc se laissa faire. Les brigands le lièrent solidement, debout et les pieds posant à terre, au montant du lit le plus éloigné de la fenêtre et le plus proche de la cheminée.

Quand le dernier nœud fut serré, Thénardier prit une chaise et vint s'asseoir presque en face de M. Leblanc. Thénardier ne se ressemblait plus, en quelques instants sa physionomie avait passé de la violence effrénée à la douceur tranquille et rusée. Marius avait peine à reconnaître dans ce sourire poli d'homme de bureau la bouche presque bestiale qui écumait le moment d'auparavant, il considérait avec stupeur cette métamorphose fantastique et inquiétante, et il éprouvait ce qu'éprouverait un homme qui verrait un tigre se changer en un avoué[2].

Et écartant du geste les brigands qui avaient encore la main sur M. Leblanc :

— Éloignez-vous un peu, et laissez-moi causer avec monsieur.

Tous se retirèrent vers la porte. Il reprit :

— Monsieur, vous avez eu tort de vouloir sauter par la fenêtre. Vous aurez pu vous casser une jambe. Maintenant si vous le permettez, nous allons causer tranquillement. Il faut d'abord que je vous communique une remarque que j'ai faite, c'est que vous

---

1. Travaillé.
2. Homme de loi.

n'avez pas encore poussé le moindre cri. Mon Dieu ! vous auriez un peu crié au voleur, que je ne l'aurais pas trouvé inconvenant. À l'assassin ! cela se dit dans l'occasion, et, quant à moi, je ne l'aurais point pris en mauvaise part. Vous l'auriez fait qu'on ne vous aurait même pas bâillonné. Et je vais vous dire pourquoi. C'est que cette chambre-ci est très sourde. Elle n'a que cela pour elle, mais elle a cela. On y tirerait une bombe que cela ferait pour le corps de garde le plus prochain le bruit d'un ronflement d'ivrogne. C'est un logement commode. Mais enfin vous n'avez pas crié, c'est mieux, je vous en fais mon compliment, et je vais vous dire ce que j'en conclus. Mon cher monsieur, quand on crie, qu'est-ce qui vient ? la police. Et après la police ? la justice. Eh bien, vous n'avez pas crié, c'est que vous ne vous souciez pas plus que nous de voir arriver la justice et la police. C'est que, – il y a long-temps que je m'en doute, – vous avez un intérêt quelconque à cacher quelque chose. De notre côté, nous avons le même intérêt. Donc nous pouvons nous entendre.

L'observation si fondée de Thénardier obscurcissait encore pour Marius les épaisseurs mystérieuses sous lesquelles se dérobait cette figure grave et étrange à laquelle Courfeyrac avait jeté le sobriquet de monsieur Leblanc. Mais quel qu'il fût, lié de cordes, entouré de bourreaux, à demi plongé, pour ainsi dire, dans une fosse qui s'enfonçait sous lui d'un degré à chaque ins-tant, devant la fureur comme devant la douceur de

Thénardier, cet homme demeurait impassible : et Marius ne pouvait s'empêcher d'admirer en un pareil moment ce visage superbement mélancolique.

Thénardier se leva sans affectation, alla à la cheminée, déplaça le paravent qu'il appuya au grabat voisin, et démasqua ainsi le réchaud plein de braise ardente dans laquelle le prisonnier pouvait parfaitement voir le ciseau rougi à blanc et piqué çà et là de petites étoiles écarlates.

Puis Thénardier vint se rasseoir près de M. Leblanc.

— Je continue, dit-il. Nous pouvons nous entendre. J'ai eu tort de m'emporter tout à l'heure, je ne sais où j'avais l'esprit, j'ai dit des extravagances. Par exemple, parce que vous êtes millionnaire, je vous ai dit que j'exigeais de l'argent, beaucoup d'argent. Cela ne serait pas raisonnable. Je ne veux pas vous ruiner. Tenez, j'y mets du mien et je fais un sacrifice de mon côté. Il me faut simplement deux cent mille francs.

M. Leblanc ne souffla pas un mot. Thénardier poursuivit.

— Vous voyez que je ne mets pas mal d'eau dans mon vin. Je ne connais pas l'état de votre fortune, mais je sais que vous ne regardez pas à l'argent, et un homme bienfaisant comme vous peut bien donner deux cent mille francs à un père de famille qui n'est pas heureux. Vous ne vous êtes pas figuré que j'organiserais la chose de ce soir, qui est un travail bien fait, de l'aveu de ces messieurs, pour aboutir à vous demander de quoi aller boire du rouge à quinze et manger du veau chez Desnoyers. Deux cent mille francs, ça vaut ça. Une fois cette bagatelle[1] sortie de votre poche, je vous réponds que tout est dit et que vous n'avez pas à craindre une pichenette. Vous me direz : Mais je n'ai pas deux cent mille francs sur moi. Oh ! je n'exige pas cela. Je ne vous demande qu'une chose. Ayez la bonté d'écrire ce que je vais vous dicter.

Ici Thénardier s'interrompit, puis il ajouta en appuyant sur les mots et en jetant un sourire du côté du réchaud :

— Je vous préviens que je n'admettrais pas que vous ne sachiez pas écrire.

Thénardier poussa la table tout près de M. Leblanc, et prit l'encrier, une plume et une feuille de papier dans le tiroir qu'il laissa entr'ouvert et où luisait la longue lame du couteau. Il posa la feuille de papier devant M. Leblanc.

— Écrivez, dit-il.

Le prisonnier parla enfin.

— Comment voulez-vous que j'écrive ? je suis attaché.

— C'est vrai, pardon ! fit Thénardier, vous avez bien raison.

Quand la main droite du prisonnier fut libre, Thénardier trempa la plume dans l'encre, la lui présenta.

— Remarquez bien, monsieur, que vous êtes en

---

1. Petite chose.

notre pouvoir, à notre discrétion, qu'aucune puissance humaine ne peut vous tirer d'ici, et que nous serions vraiment désolés d'être contraints d'en venir à des extrémités désagréables. Je ne sais ni votre nom, ni votre adresse ; mais je vous préviens que vous resterez attaché jusqu'à ce que la personne chargée de porter la lettre que vous allez écrire soit revenue. Maintenant veuillez écrire. Je dicte.

M. Leblanc prit la plume.

Thénardier commença à dicter :

— « Ma chère fille », dit Thénardier, « viens sur-le-champ... »

Il s'interrompit.

— Vous la tutoyez, n'est-ce pas ?

— Qui ? demanda M. Leblanc.

— Parbleu ! dit Thénardier, la petite, l'Alouette.

M. Leblanc répondit sans la moindre émotion apparente :

— Je ne sais pas ce que vous voulez dire.

— Allez toujours, fit Thénardier ; et il se remit à dicter.

— « Viens sur-le-champ. J'ai absolument besoin de toi. La personne qui te remettra ce billet est chargée de t'amener près de moi. Je t'attends. Viens avec confiance. »

M. Leblanc avait tout écrit. Thénardier reprit :

— Ah ! effacez *viens avec confiance* ; cela pourrait faire supposer que la chose n'est pas toute simple et que la défiance est possible.

M. Leblanc ratura les trois mots.

— À présent, poursuivit Thénardier, signez. Comment vous appelez-vous ?

Le prisonnier posa la plume et demanda :

— Pour qui est cette lettre ?

— Vous le savez bien, répondit Thénardier. Pour la petite. Je viens de vous le dire.

Il était évident que Thénardier évitait de nommer la jeune fille dont il était question. Il disait « l'Alouette », il disait « la petite », mais il ne prononçait pas le nom. Précaution d'habile homme gardant son secret devant ses complices. Dire le nom, c'eût été leur livrer toute « l'affaire » et leur en apprendre plus qu'ils n'avaient besoin d'en savoir.

Il reprit :

— Signez. Quel est votre nom ?

— Urbain Fabre, dit le prisonnier.

Thénardier précipita sa main dans sa poche et en tira le mouchoir saisi sur M. Leblanc. Il en chercha la marque et l'approcha de la chandelle.

— U. F. C'est cela. Urbain Fabre. Eh bien, signez U. F.

Le prisonnier signa.

— Mettez l'adresse. *Mademoiselle Fabre*, chez vous.

Le prisonnier resta un moment pensif, puis il prit la plume et écrivit :

Mademoiselle Fabre, chez M. Urbain Fabre, rue Saint-Dominique-d'Enfer, n° 17.

Thénardier saisit la lettre avec une sorte de convulsion fébrile.

— Ma femme ! cria-t-il.

La Thénardier accourut.

— Voici la lettre. Tu sais ce que tu as à faire. Un fiacre est en bas. Pars tout de suite, et reviens idem.

Et s'adressant à l'homme au merlin :

— Toi, puisque tu as ôté ton cache-nez, accompagne la bourgeoise. Tu monteras derrière le fiacre. Tu sais où tu as laissé la maringotte ?

— Oui, dit l'homme.

Et, déposant son merlin dans un coin, il suivit la Thénardier.

Thénardier approcha une chaise de la cheminée et s'assit en se croisant les bras et en présentant ses bottes boueuses au réchaud.

— J'ai froid aux pieds, dit-il.

Le prisonnier était retombé dans sa taciturnité. Un calme sombre avait succédé au vacarme farouche qui remplissait le galetas quelques instants auparavant.

Marius attendait, dans une anxiété que tout accroissait. L'énigme était plus impénétrable que jamais. Qu'était-ce que cette « petite » que Thénardier avait aussi nommée l'Alouette ? D'un autre côté, les deux lettres U. F. étaient expliquées, c'était Urbain Fabre, et Ursule ne s'appelait plus Ursule. C'est là ce que Marius voyait le plus clairement.

— Dans tous les cas, disait-il, si l'Alouette, c'est elle, je le verrai bien, car la Thénardier va l'amener ici.

Je donnerai ma vie et mon sang s'il le faut, mais je la délivrerai ! Rien ne m'arrêtera.

Près d'une demi-heure passa ainsi. Thénardier paraissait absorbé par une méditation ténébreuse. Le prisonnier ne bougeait pas. Cependant Marius croyait par intervalles et depuis quelques instants entendre un petit bruit sourd du côté du prisonnier.

Tout à coup Thénardier apostropha le prisonnier :

— Monsieur Fabre, tenez, autant que je vous dise tout de suite.

Ces quelques mots semblaient commencer un éclaircissement. Marius prêta l'oreille. Thénardier continua :

— Mon épouse va revenir, ne vous impatientez pas. Je pense que l'Alouette est véritablement votre fille, et je trouve tout simple que vous la gardiez. Seulement, écoutez un peu. Avec votre lettre, ma femme ira la trouver. Elles monteront toutes deux dans le fiacre avec mon camarade derrière. Il y a quelque part en dehors d'une barrière une maringotte attelée de deux très bons chevaux. On y conduira votre demoiselle. Elle descendra du fiacre. Mon camarade montera avec elle dans la maringotte, et ma femme reviendra ici nous dire : C'est fait. Quant à votre demoiselle, on ne lui fera pas de mal, la maringotte la mènera dans un endroit où elle sera tranquille, et, dès que vous m'aurez donné les petits deux cent mille francs, on vous la rendra. Si vous me faites arrêter, mon camarade donnera le coup de pouce à l'Alouette. Voilà.

Le prisonnier n'articula pas une parole. Après une pause, Thénardier poursuivit :

— C'est simple, comme vous voyez. Il n'y aura pas de mal si vous ne voulez pas qu'il y ait du mal. Je vous conte la chose. Je vous préviens pour que vous sachiez.

Il s'arrêta, le prisonnier ne rompit pas le silence, et Thénardier reprit :

— Dès que mon épouse sera revenue et qu'elle m'aura dit : l'Alouette est en route, nous vous lâcherons, et vous serez libre d'aller coucher chez vous. Vous voyez que nous n'avions pas de mauvaises intentions.

Des images épouvantables passèrent devant la pensée de Marius. Quoi ! cette jeune fille qu'on enlevait, on n'allait pas la ramener ? un de ces monstres allait l'emporter dans l'ombre ? où ?... Et si c'était elle ! Et il était clair que c'était elle. Marius sentait les battements de son cœur s'arrêter. Que faire ? Tirer le coup de pistolet ? mettre aux mains de la justice tous ces misérables ? Marius songeait à ces mots de Thénardier dont il entrevoyait la signification sanglante : *Si vous me faites arrêter, mon camarade donnera le coup de pouce à l'Alouette.*

Cette effroyable situation durait déjà depuis plus d'une heure.

Au milieu de ce silence on entendit le bruit de la porte de l'escalier qui s'ouvrait, puis se fermait.

Le prisonnier fit un mouvement dans ses liens.

— Voici la bourgeoise, dit Thénardier.

Il achevait à peine qu'en effet la Thénardier se précipita dans la chambre, rouge, essoufflée, haletante, les yeux flambants, et cria en frappant de ses grosses mains sur ses deux cuisses à la fois :

— Personne ! Rue Saint-Dominique, numéro dix-sept, pas de monsieur Urbain Fabre ! On ne sait pas ce que c'est !

Elle s'arrêta suffoquée, puis continua :

— Monsieur Thénardier ! ce vieux t'a fait poser ! tu es trop bon, vois-tu ! Moi, je te vous lui aurais coupé la margoulette[1] en quatre pour commencer ! Il aurait bien fallu qu'il parle, et qu'il dise où est la fille, et qu'il dise où est le magot ! Voilà comment j'aurais mené cela, moi !

Pendant que sa femme exaspérée vociférait, Thénardier s'était assis sur la table ; il resta quelques instants sans prononcer une parole, balançant sa jambe droite qui pendait et considérant le réchaud d'un air de rêverie sauvage.

Enfin il dit au prisonnier avec une inflexion lente et singulièrement féroce :

— Une fausse adresse ? qu'est-ce que tu as donc espéré ?

— Gagner du temps ! cria le prisonnier d'une voix éclatante.

Et au même instant il secoua ses liens ; ils étaient

_____
1. Mâchoire.

159

coupés. Le prisonnier n'était plus attaché au lit que par une jambe.

Avant que les sept hommes eussent eu le temps de se reconnaître et de s'élancer, lui s'était penché sous la cheminée, avait étendu la main vers le réchaud, puis s'était redressé, et maintenant Thénardier, la Thénardier et les bandits, refoulés par le saisissement au fond du bouge, le regardaient avec stupeur élevant au-dessus de sa tête le ciseau rouge d'où tombait une lueur sinistre, presque libre et dans une attitude formidable.

L'enquête judiciaire, à laquelle le guet-apens de la masure Gorbeau donna lieu par la suite, a constaté qu'un gros sou, coupé et travaillé d'une façon particulière, fut trouvé dans le galetas, quand la police y fit une descente ; ce gros sou était une de ces merveilles d'industrie que la patience du bagne engendre dans les ténèbres et pour les ténèbres, merveilles qui ne sont autre chose que des instruments d'évasion. On découvrit également une petite scie en acier bleu qui pouvait se cacher dans le gros sou. Il est probable qu'au moment où les bandits fouillèrent le prisonnier, il avait sur lui ce gros sou qu'il réussit à cacher dans sa main, et qu'ensuite, ayant la main droite libre, il le dévissa, et se servit de la scie pour couper les cordes qui l'attachaient, ce qui expliquerait le bruit léger et les mouvements imperceptibles que Marius avait remarqués.

N'ayant pu se baisser de peur de se trahir, il n'avait point coupé les liens de sa jambe gauche.

Les bandits étaient revenus de leur première surprise.

— Sois tranquille, dit l'un d'eux à Thénardier. Il tient encore par une jambe, et il ne s'en ira pas. J'en réponds. C'est moi qui lui ai ficelé cette patte-là.

Cependant le prisonnier éleva la voix.

— Vous êtes des malheureux, mais ma vie ne vaut pas la peine d'être tant défendue. Quant à vous imaginer que vous me feriez parler, que vous me feriez écrire ce que je ne veux pas écrire, que vous me feriez dire ce que je ne veux pas dire...

Il releva la manche de son bras gauche et ajouta :

— Tenez.

En même temps il tendit son bras et posa sur la chair nue le ciseau ardent qu'il tenait dans sa main droite par le manche de bois.

On entendit le frémissement de la chair brûlée, l'odeur propre aux chambres de torture se répandit dans le taudis, Marius chancela éperdu d'horreur, les brigands eux-mêmes eurent un frisson, le visage de l'étrange vieillard se contracta à peine, et, tandis que le fer rouge s'enfonçait dans la plaie fumante, impassible et presque auguste, il attachait sur Thénardier son beau regard sans haine où la souffrance s'évanouissait dans une majesté sereine.

— Misérables, dit-il, n'ayez pas plus peur de moi que je n'ai peur de vous.

Et arrachant le ciseau de la plaie, il le lança par la fenêtre qui était restée ouverte, l'horrible outil embrasé disparut dans la nuit en tournoyant et alla tomber au loin et s'éteindre dans la neige.

Le prisonnier reprit :

— Faites de moi ce que vous voudrez.

Il était désarmé.

— Empoignez-le ! dit Thénardier.

Deux des brigands lui posèrent la main sur l'épaule.

En même temps Marius entendit au-dessous de lui, au bas de la cloison, mais tellement près qu'il ne pouvait pas voir ceux qui parlaient, ce colloque échangé à voix basse :

— Il n'y a qu'une chose à faire.

— L'escarper[1] !

C'était le mari et la femme qui tenaient conseil.

Thénardier marcha à pas lents vers la table, ouvrit le tiroir et y prit le couteau.

Marius tourmentait le pommeau du pistolet. Perplexité inouïe. Depuis une heure il y avait deux voix dans sa conscience, l'une lui disait de respecter le testament de son père, l'autre lui criait de secourir le prisonnier.

Tout à coup il tressaillit.

À ses pieds, sur la table, un vif rayon de pleine lune éclairait et semblait lui montrer une feuille de papier. Sur cette feuille il lut cette ligne écrite en grosses lettres le matin même par l'aînée des filles Thénardier :

— LES COGNES SONT LÀ.

---

1. Assassiner.

Une idée traversa l'esprit de Marius ; c'était le moyen qu'il cherchait, la solution de cet affreux problème qui le torturait, épargner l'assassin et sauver la victime. Il s'agenouilla sur sa commode, étendit le bras, saisit la feuille de papier, détacha doucement un morceau de plâtre de la cloison, l'enveloppa dans le papier, et jeta le tout par la crevasse au milieu du bouge.

Il était temps. Thénardier avait vaincu ses dernières craintes ou ses derniers scrupules et se dirigeait vers le prisonnier.

— Quelque chose qui tombe ! cria la Thénardier.

— Qu'est-ce ? dit le mari.

La femme s'était élancée et avait ramassé le plâtras enveloppé du papier. Elle le remit à son mari.

— Par où cela est-il venu ? demanda Thénardier.

— Pardie ! fit la femme, par où veux-tu que cela soit entré ? C'est venu par la fenêtre.

Thénardier déplia rapidement le papier et l'approcha de la chandelle.

— C'est de l'écriture d'Éponine. Diable ! Vite ! l'échelle ! laissons le lard dans la souricière et fichons le camp par la fenêtre. Puisque Ponine a jeté la pierre par la fenêtre, c'est que la maison n'est pas cernée de ce côté-là.

Les brigands qui tenaient le prisonnier le lâchèrent ; en un clin d'œil l'échelle de corde fut déroulée hors de la fenêtre et attachée solidement au rebord par les deux crampons de fer.

Le prisonnier ne faisait pas attention à ce qui se passait autour de lui. Il semblait rêver ou prier.

Sitôt l'échelle fixée, Thénardier cria :

— Viens, la bourgeoise !

Et il se précipita vers la croisée.

Mais comme il allait enjamber, l'un des bandits le saisit rudement au collet.

— Non pas, dis donc, vieux farceur ! après nous !

— Après nous ! hurlèrent les bandits.

— Vous êtes des enfants, dit Thénardier, nous perdons le temps. Les railles[1] sont sur nos talons.

— Eh bien, dit un des bandits, tirons au sort à qui passera le premier.

Thénardier s'exclama :

— Êtes-vous fous ! tirer au sort, n'est-ce pas ? écrire nos noms ! les mettre dans un bonnet !...

— Voulez-vous mon chapeau ? cria une voix du seuil de la porte.

Tous se retournèrent. C'était Javert. Il tenait son chapeau à la main, et le tendait en souriant.

1. Policiers (argot).

14

On devrait toujours commencer par arrêter les victimes

Javert, à la nuit tombante, avait aposté des hommes et s'était embusqué lui-même derrière les arbres de la rue qui fait face à la masure Gorbeau de l'autre côté du boulevard. Il avait commencé par ouvrir « sa poche » pour y fourrer les deux jeunes filles chargées de surveiller les abords du bouge. Mais il n'avait « coffré » qu'Azelma. Quant à Éponine, elle n'était pas à son poste, elle avait disparu. Puis Javert s'était mis en arrêt, prêtant l'oreille au signal convenu. Les allées et venues du fiacre l'avaient fort agité. Enfin, il s'était impatienté, et *sûr qu'il y avait un nid-là*, il avait fini par se décider à monter sans attendre le coup de pistolet.

On se souvient qu'il avait le passe-partout de Marius.

Il était arrivé à point.

Les bandits effarés se jetèrent sur les armes qu'ils avaient abandonnées dans tous les coins au moment de s'évader. En moins d'une seconde, sept hommes, épouvantables à voir, se groupèrent dans une posture de défense, l'un avec son merlin, l'autre avec sa clef, l'autre avec son assommoir, les autres avec les cisailles, les pinces et les marteaux, Thénardier son couteau au poing. La Thénardier saisit un énorme pavé qui était dans l'angle de la fenêtre et qui servait à ses filles de tabouret.

Javert remit son chapeau sur sa tête, et fit deux pas dans la chambre, les bras croisés, la canne sous le bras, l'épée dans le fourreau.

— Halte-là ! dit-il. Vous ne passerez pas par la fenêtre, vous passerez par la porte.

Il se retourna et appela derrière lui :

— Entrez maintenant !

Une escouade de sergents de ville l'épée au poing et d'agents armés de casse-tête et de gourdins se rua à l'appel de Javert. On garrotta les bandits.

— Les poucettes[1] à tous ! cria Javert.

— Approchez donc un peu ! cria une voix qui n'était pas une voix d'homme.

La Thénardier s'était retranchée dans un des angles de la fenêtre, et c'était elle qui venait de pousser ce rugissement.

---

1. Menottes.

Elle avait jeté son châle et gardé son chapeau ; son mari, accroupi derrière elle, disparaissait presque sous le châle tombé, et elle le couvrait de son corps, élevant le pavé des deux mains au-dessus de sa tête avec le balancement d'une géante qui va lancer un rocher.

— Gare ! cria-t-elle.

Tous se refoulèrent vers le corridor. Un large vide se fit au milieu du galetas.

Javert sourit et s'avança dans l'espace vide que la Thénardier couvait de ses deux prunelles.

— N'approche pas, va-t'en, cria-t-elle, ou je t'écroule.

La Thénardier, échevelée et terrible, écarta les jambes, se cambra en arrière et jeta éperdument le pavé à la tête de Javert. Javert se courba. Le pavé passa au-dessus de lui, heurta la muraille du fond dont il fit tomber un vaste plâtras et revint, en ricochant d'angle en angle à travers le bouge, heureusement presque vide, mourir sur les talons de Javert.

Au même instant Javert arrivait au couple Thénardier. Une de ses larges mains s'abattit sur l'épaule de la femme et l'autre sur la tête du mari.

— Les poucettes ! cria-t-il.

Les hommes de police rentrèrent en foule, et en quelques secondes l'ordre de Javert fut exécuté.

La Thénardier, brisée, regarda ses mains garrottées et celles de son mari, se laissa tomber à terre, et s'écria en pleurant :

— Mes filles !

— Elles sont à l'ombre[1], dit Javert.

Les six bandits garrottés étaient debout.

Et, les passant en revue avec le regard d'un Frédéric II à la parade de Potsdam, il dit aux trois « fumistes » :

— Bonjour, Bigrenaille. Bonjour, Brujon. Bonjour, Deux-Milliards.

Puis, se tournant vers les trois masques, il dit :

— Bonjour, Gueulemer. Bonjour, Babet. Bonjour, Claquesous.

En ce moment, il aperçut le prisonnier des bandits qui, depuis l'entrée des agents de police, n'avait pas prononcé une parole et tenait sa tête baissée.

— Déliez monsieur ! dit Javert, et que personne ne sorte !

Cela dit, il s'assit souverainement devant la table, où étaient restées la chandelle et l'écritoire, tira un papier timbré de sa poche et commença son procès-verbal. Quand il eut écrit les premières lignes, il leva les yeux.

— Faites approcher ce monsieur que ces messieurs avaient attaché.

Les agents regardèrent autour d'eux.

— Eh bien, demanda Javert, où est-il donc ?

Le prisonnier des bandits, M. Leblanc, M. Urbain Fabre, le père d'Ursule ou de l'Alouette, avait disparu.

La porte était gardée, mais la croisée[2] ne l'était pas. Sitôt qu'il s'était vu délié, et pendant que Javert ver-

---

1. En prison.
2. Fenêtre.

balisait, il avait profité du trouble, du tumulte, de l'encombrement, de l'obscurité, et d'un moment où l'attention n'était pas fixée sur lui, pour s'élancer par la fenêtre. Un agent courut à la lucarne, et regarda. On ne voyait personne dehors. L'échelle de corde tremblait encore.

— Diable, fit Javert entre ses dents, ce devait être le meilleur !

Quatrième partie

L'idylle rue Plumet
et l'épopée rue Saint-Denis

1

La promesse d'Éponine

Marius avait assisté au dénouement inattendu du guet-apens sur la trace duquel il avait mis Javert ; mais à peine Javert avait-il quitté la masure, emmenant ses prisonniers dans trois fiacres, que Marius de son côté se glissa hors de la maison et alla chez Courfeyrac. Courfeyrac n'était plus l'imperturbable habitant du quartier latin ; il était allé demeurer rue de la Verrerie « pour des raisons politiques » ; ce quartier était de ceux où l'insurrection dans ce temps-là s'installait volontiers. Marius dit à Courfeyrac : Je viens coucher chez toi. Courfeyrac tira un matelas de son lit qui en avait deux, l'étendit à terre, et dit : Voilà.

Le lendemain, dès sept heures du matin, Marius revint à la masure, paya le terme et ce qu'il devait à mame Burgon, fit charger sur une charrette à bras ses livres, son lit, sa table, sa commode et ses deux chaises, et s'en alla sans laisser son adresse, si bien que, lorsque Javert revint dans la matinée afin de questionner Marius sur les événements de la veille, il ne trouva que mame Burgon qui lui répondit : Déménagé !

Marius avait eu deux raisons pour ce déménagement si prompt. La première, c'est qu'il avait horreur maintenant de cette maison où il avait vu, de si près et dans tout son développement le plus repoussant et le plus féroce, une laideur sociale plus affreuse peut-être encore que le mauvais riche, le mauvais pauvre. La deuxième, c'est qu'il ne voulait pas figurer dans le procès quelconque qui s'ensuivrait probablement, et être amené à déposer contre Thénardier.

Javert crut que le jeune homme, dont il n'avait pas retenu le nom, avait eu peur et s'était sauvé ou n'était peut-être même pas rentré chez lui au moment du guet-apens ; il fit pourtant quelques efforts pour le retrouver, mais il n'y parvint pas.

Un mois s'écoula, puis un autre. Marius était toujours chez Courfeyrac. Il avait su par un avocat stagiaire, promeneur habituel de la salle des pas perdus, que Thénardier était au secret. Tous les lundis, Marius faisait remettre au greffe de la Force cinq francs pour Thénardier.

Marius était navré. Tout était de nouveau rentré dans une trappe. Il ne voyait plus rien devant lui ; sa vie était replongée dans ce mystère où il errait à tâtons. Il avait un moment revu de très près dans cette obscurité la jeune fille qu'il aimait, le vieillard qui semblait son père, ces êtres inconnus qui étaient son seul intérêt et sa seule espérance en ce monde ; et au moment où il avait cru les saisir, un souffle avait emporté toutes ces ombres. Tout s'était évanoui, excepté l'amour.

Le triomphe de Javert dans la masure Gorbeau avait semblé complet, mais ne l'avait pas été.

D'abord, et c'était là son principal souci, Javert n'avait point fait prisonnier le prisonnier. L'assassiné qui s'évade est plus suspect que l'assassin ; et il est probable que ce personnage, si précieuse capture pour les bandits, n'était pas de moins bonne prise pour l'autorité.

Ensuite, Montparnasse avait échappé à Javert.

Quant à Marius, « ce dadais d'avocat qui avait eu probablement peur », et dont Javert avait oublié le nom, Javert y tenait peu. D'ailleurs, un avocat, cela se retrouve toujours. Mais était-ce un avocat seulement ?

L'information avait commencé.

Marius n'allait plus chez personne. Un matin, il avait été s'asseoir sur le parapet de la rivière des Gobelins. Un gai soleil pénétrait les feuilles fraîches épanouies et toutes lumineuses. Il songeait à « Elle ». Il entendait derrière lui, au-dessous de lui, sur les deux bords de la rivière, les laveuses des Gobelins battre leur linge, et, au-dessus de sa tête, les oiseaux jaser et chanter dans les ormes. D'un côté le bruit de la liberté ; de l'autre le bruit du travail. Chose qui le faisait rêver profondément, et presque réfléchir, c'étaient deux bruits joyeux.

Tout à coup au milieu de son extase accablée il entendit une voix connue qui disait :

— Tiens ! le voilà !

Il leva les yeux, et reconnut cette malheureuse enfant qui était venue un matin chez lui, l'aînée des filles Thénardier, Éponine. Chose étrange, elle était appauvrie et embellie. Elle était pieds nus et en haillons comme le jour où elle était entrée si résolument dans sa chambre, seulement ses haillons avaient deux mois de plus ; les trous étaient plus larges, les guenilles plus sordides. C'était cette même voix enrouée, ce même front terni et ridé par le hâle, ce même regard libre, égaré et vacillant. Elle avait de plus qu'autrefois dans la physionomie ce je ne sais quoi d'effrayé.

Elle avait des brins de paille et de foin dans les cheveux, parce qu'elle avait couché dans quelque grenier d'écurie. Et avec tout cela elle était belle.

Cependant elle était arrêtée devant Marius avec un peu de joie sur son visage livide et quelque chose qui ressemblait à un sourire.

Elle fut quelques moments comme si elle ne pouvait parler.

— Je vous rencontre donc ! dit-elle enfin. Comme je vous ai cherché ! si vous saviez ! Savez-vous cela ?

j'ai été au bloc[1]. Quinze jours ! Ils m'ont lâchée ! vu qu'il n'y avait rien sur moi et que d'ailleurs je n'avais pas l'âge du discernement. Il s'en fallait de deux mois. Oh ! comme je vous ai cherché ! Voilà six semaines. Vous ne demeurez donc plus là-bas ?

— Non, dit Marius.

— Oh ! je comprends. À cause de la chose. C'est désagréable ces esbroufes-là. Vous avez déménagé. Tiens ! pourquoi donc portez-vous des vieux chapeaux comme ça ? Un jeune homme comme vous, ça doit avoir de beaux habits. Dites donc, où est-ce que vous demeurez à présent ?

Marius ne répondit pas.

— Ah ! continua-t-elle, vous avez un trou à votre chemise. Il faudra que je vous recouse cela.

Elle reprit avec une expression qui s'assombrissait peu à peu :

— Vous n'avez pas l'air content de me voir ?

Marius se taisait ; elle garda elle-même un instant le silence, puis s'écria :

— Si je voulais pourtant, je vous forcerais bien à avoir l'air content !

— Quoi ? demanda Marius. Que voulez-vous dire ?

— Ah ! vous me disiez tu ! reprit-elle.

— Eh bien, que veux-tu dire ?

Elle se mordit la lèvre ; elle semblait hésiter comme

---

1. En prison.

en proie à une sorte de combat intérieur. Enfin elle parut prendre son parti.

— Tant pis, c'est égal. Vous avez l'air triste, je veux que vous soyez content. Promettez-moi seulement que vous allez rire. Je veux vous voir rire. Pauvre monsieur Marius ! vous savez ! vous m'avez promis que vous me donneriez tout ce que je voudrais...

— Oui ! mais parle donc !

Elle regarda Marius dans le blanc des yeux et lui dit :

— J'ai l'adresse.

Marius pâlit. Tout son sang reflua à son cœur.

— Quelle adresse ?

— L'adresse... vous savez bien ? Celle de la demoiselle !

Ce mot prononcé, elle soupira profondément.

Marius sauta du parapet où il était assis et lui prit éperdument la main.

— Oh ! eh bien ! conduis-moi ! demande-moi tout ce que tu voudras ! Où est-ce ?

— Venez avec moi répondit-elle. Je ne sais pas bien la rue et le numéro ; c'est de l'autre côté d'ici, mais je connais la maison, je vais vous conduire.

Elle retira sa main et reprit, d'un ton qui eût navré un observateur, mais qui n'effleura même pas Marius ivre et transporté :

— Oh ! comme vous êtes content !

Un nuage passa sur le front de Marius. Il saisit Éponine par le bras.

— Promets-moi, Éponine ! jure-moi que tu ne diras pas cette adresse à ton père !

Elle se tourna vers lui d'un air stupéfait.

— C'est gentil ça ! vous m'avez appelée Éponine !

Marius lui prit les deux bras à la fois.

— Mais réponds-moi, donc, au nom du ciel ! fais attention à ce que je te dis, jure-moi que tu ne diras pas l'adresse que tu sais à ton père !

— Mon père ? dit-elle. Ah oui, mon père ! Soyez donc tranquille. Il est au secret. D'ailleurs est-ce que je m'occupe de mon père !

— Mais tu ne me promets pas ! s'écria Marius.

— Mais lâchez-moi donc ! dit-elle en éclatant de rire, comme vous me secouez ! Si ! si ! je vous promets ça ! qu'est-ce que cela me fait ? je ne dirai pas l'adresse à mon père. Là ! ça va-t-il ? c'est-il ça ? Venez.

Après quelques pas, elle s'arrêta.

— Vous me suivez de trop près, monsieur Marius. Laissez-moi aller devant, et suivez-moi comme cela, sans faire semblant. Il ne faut pas qu'on voie un jeune homme bien, comme vous, avec une femme comme moi.

Aucune langue ne saurait dire tout ce qu'il y avait dans ce mot, femme, ainsi prononcé par cette enfant.

Elle fit une dizaine de pas, et s'arrêta encore ; Marius la rejoignit. Elle lui adressa la parole de côté et sans se tourner vers lui :

— À propos, vous savez que vous m'avez promis quelque chose ?

Marius fouilla dans sa poche. Il ne possédait au monde que les cinq francs destinés au père Thénardier. Il les prit et les mit dans la main d'Éponine.

Elle ouvrit les doigts et laissa tomber la pièce à terre, et le regardant d'un air sombre :

— Je ne veux pas de votre argent, dit-elle.

2

La maison à secret

Vers le milieu du siècle dernier, un bourgeois fit construire « une petite maison » faubourg Saint-Germain, dans la rue Plumet.

Cette maison se composait d'un pavillon à un seul étage ; deux salles au rez-de-chaussée, deux chambres au premier, en bas une cuisine, en haut un boudoir, sous le toit un grenier, le tout précédé d'un jardin avec large grille donnant sur la rue. Ce logis communiquait, par-derrière, par une porte masquée et ouvrant à secret, avec un long couloir étroit, pavé, sinueux, à ciel ouvert, bordé de deux hautes murailles, lequel, perdu entre les clôtures des jardins, allait aboutir à une autre porte également à secret qui s'ouvrait à un demi-quart de lieue de là, presque dans un autre quartier, à l'extrémité solitaire de la rue de Babylone.

Au mois d'octobre 1829, un homme d'un certain âge avait loué la maison. Il avait fait rétablir les ouvertures à secret des deux portes de ce passage. Le nouveau locataire avait ordonné quelques réparations, et enfin était venu s'installer avec une jeune fille et une servante âgée, sans bruit, plutôt comme quelqu'un qui se glisse que comme quelqu'un qui entre chez soi. Les voisins n'en jasèrent point, par la raison qu'il n'y avait pas de voisins.

Ce locataire était Jean Valjean, la jeune fille était Cosette. La servante était une fille appelée Toussaint, elle était vieille, provinciale et bègue, trois qualités qui avaient déterminé Jean Valjean à la prendre avec lui. Il avait loué la maison sous le nom de M. Fauchelevent, rentier.

Pourquoi Jean Valjean avait-il quitté le couvent du Petit-Picpus ?

On s'en souvient, Jean Valjean était heureux dans le couvent, si heureux que sa conscience finit par s'inquiéter. Il voyait Cosette tous les jours, il sentait la paternité naître et se développer en lui de plus en plus, il couvait de l'âme cette enfant, il se disait qu'elle était à lui, que rien ne pouvait la lui enlever, que cela serait ainsi indéfiniment, que certainement elle se ferait religieuse, qu'ainsi le couvent était désormais l'univers pour elle comme pour lui, qu'enfin, ravissante espérance, aucune séparation n'était possible. En réfléchissant à ceci, il s'interrogea. Il se demandait si tout ce bonheur était bien à lui, s'il ne se composait pas du bonheur d'un autre. Il se disait que cette enfant avait le droit de connaître la vie avant d'y renoncer, que lui retrancher, d'avance et en quelque sorte sans la consulter, toutes les joies sous prétexte de lui sauver toutes les épreuves, profiter de son ignorance et de son isolement pour lui faire germer une vocation artificielle, c'était dénaturer une créature humaine et mentir à Dieu.

Une fois sa détermination arrêtée, il attendit l'occasion. Elle ne tarda pas à se présenter. Le vieux Fauchelevent mourut.

Jean Valjean demanda audience à la révérende prieure et lui dit qu'ayant fait à la mort de son frère un petit héritage qui lui permettait de vivre désormais sans travailler, il quittait le service du couvent et emmenait sa fille.

C'est ainsi que Jean Valjean sortit du couvent de l'adoration perpétuelle.

En quittant le couvent, il prit lui-même dans ses bras et ne voulut confier à aucun commissionnaire la petite valise dont il avait toujours la clef sur lui. Disons tout de suite que désormais cette malle ne le quitta plus. Il l'avait toujours dans sa chambre. C'était la première et quelquefois l'unique chose qu'il emportait dans ses déménagements. Cosette en riait et appelait cette valise *l'inséparable*, disant : J'en suis jalouse.

Jean Valjean du reste ne reparut pas à l'air libre sans une profonde anxiété.

Il découvrit la maison de la rue Plumet et s'y blottit. Il était désormais en possession du nom d'Ultime Fauchelevent.

En même temps il loua deux autres appartements dans Paris, afin de moins attirer l'attention que s'il fût toujours resté dans le même quartier, de pouvoir faire au besoin des absences à la moindre inquiétude qui le prendrait, et enfin de ne plus se trouver au dépourvu comme la nuit où il avait miraculeusement échappé à Javert. Ces deux appartements étaient deux logis fort chétifs et d'apparence pauvre, dans deux quartiers très éloignés l'un de l'autre, l'un rue de l'Ouest, l'autre rue de l'Homme-Armé.

Du reste, à proprement parler, il vivait rue Plumet et il y avait arrangé son existence de la façon que voici :

Cosette avec la servante occupait le pavillon ; lui, il habitait l'espèce de loge de portier qui était dans la cour du fond, avec un matelas sur un lit de sangle, une table de bois blanc, deux chaises de paille, un pot à l'eau de faïence, quelques bouquins sur une planche, sa chère valise dans un coin, jamais de feu. Il dînait avec Cosette, et il y avait un pain bis pour lui sur la table.

Tous les jours Jean Valjean prenait le bras de Cosette et la menait promener. Il la conduisait au Luxembourg, dans l'allée la moins fréquentée et tous les dimanches à la messe, toujours à Saint-Jacques-du-Haut-Pas, parce que c'était fort loin.

M. Fauchelevent, rentier, était de la garde nationale[1] ; il avait pu échapper aux mailles étroites du recensement de 1831. Les renseignements municipaux pris à cette époque étaient remontés jusqu'au couvent du Petit-Picpus, sorte de nuée impénétrable et sainte d'où Jean Valjean était sorti vénérable aux yeux de sa mairie, et, par conséquent, digne de monter sa garde.

Trois ou quatre fois l'an, Jean Valjean endossait son uniforme et faisait sa faction. Jean Valjean venait d'atteindre ses soixante ans ; mais il n'en paraissait pas plus de cinquante ; il n'avait pas d'état civil ; il cachait son nom, il cachait son identité, il cachait son âge, il cachait tout. Ressembler au premier venu qui paye ses contributions, c'était là toute son ambition. Cet homme avait pour idéal, au-dedans, l'ange, au-dehors, le bourgeois.

Notons un détail pourtant. Quand Jean Valjean sortait avec Cosette, il s'habillait comme on a l'a vu et avait assez l'air d'un ancien officier. Lorsqu'il sortait seul, et c'était le plus habituellement le soir, il était toujours vêtu d'une veste et d'un pantalon d'ouvrier, et coiffé d'une casquette qui lui cachait le visage. Était-ce précaution, ou humilité ? Les deux à la fois. Quant à Toussaint, elle vénérait Jean Valjean, et trouvait bon tout ce qu'il faisait. – Un jour, son boucher, qui avait entrevu Jean Valjean, lui dit : C'est un drôle de corps. Elle répondit : C'est un saint.

_____

1. Corps créé en 1789 et préposé au maintien de l'ordre.

Cosette adorait le bonhomme. Elle était toujours sur ses talons. Là où était Jean Valjean était le bien-être. Comme Jean Valjean n'habitait ni le pavillon, ni le jardin, elle se plaisait mieux dans l'arrière-cour pavée que dans l'enclos plein de fleurs, et dans la petite loge meublée de chaises de paille que dans le grand salon tendu de tapisseries où s'adossaient des fauteuils capitonnés. Jean Valjean lui disait quelquefois en souriant du bonheur d'être importuné : Mais va-t'en chez toi ; laisse-moi donc un peu seul !

Un jour Cosette se regarda par hasard dans son miroir et se dit : tiens ! Il lui semblait presque qu'elle était jolie. Ceci la jeta dans un trouble singulier. Jusqu'à ce moment elle n'avait point songé à sa figure. Et puis, on lui avait souvent dit qu'elle était laide ; Jean Valjean seul disait doucement : Mais non ! mais non ! Voici que tout d'un coup son miroir lui disait comme Jean Valjean : Mais non ! Elle ne dormit pas de la nuit.

Le soir, après le dîner, elle faisait assez habituellement de la tapisserie dans le salon ou quelque ouvrage de couvent, et Jean Valjean lisait à côté d'elle. Une fois elle leva les yeux de son ouvrage et elle fut toute surprise de la façon inquiète dont son père la regardait.

Une autre fois, elle passait dans la rue, et il lui sembla que quelqu'un qu'elle ne vit pas disait derrière elle : Jolie femme ! mais mal mise.

Un jour enfin, elle était dans le jardin, et elle entendit la pauvre vieille Toussaint qui disait : Monsieur, remarquez-vous comme mademoiselle devient jolie ?

Elle était belle et jolie. Sa taille s'était faite, sa peau avait blanchi, ses cheveux s'étaient lustrés, une splendeur inconnue s'était allumée dans ses prunelles bleues. La conscience de sa beauté lui vint tout entière, en une minute, comme un grand jour qui se fait, les autres la remarquaient d'ailleurs.

De son côté Jean Valjean éprouvait un profond et indéfinissable serrement de cœur. C'est qu'en effet, depuis quelque temps, il contemplait avec terreur cette beauté qui apparaissait chaque jour plus rayonnante sur le doux visage de Cosette. Aube riante pour tous, lugubre pour lui. Dès le lendemain du jour où elle s'était dit : Décidément, je suis belle ! Cosette fit attention à sa toilette.

À partir de ce moment, il remarqua que Cosette, qui autrefois demandait toujours à rester, disant : Père, je m'amuse mieux ici avec vous, demandait maintenant toujours à sortir. En effet, à quoi bon avoir une jolie figure et une délicieuse toilette, si on ne les montre pas ?

Il remarqua aussi que Cosette n'avait plus le même goût pour l'arrière-cour. À présent, elle se tenait plus volontiers au jardin, se promenant sans déplaisir devant la grille. Jean Valjean, farouche, ne mettait pas les pieds dans le jardin. Il restait dans son arrière-cour, comme le chien.

Ce fut à cette époque que Marius, après six mois écoulés, la revit au Luxembourg.

3

La bataille commence

Cosette était dans son ombre, comme Marius dans la sienne, toute disposée pour l'embrasement[1]. La destinée, avec sa patience mystérieuse et fatale, approchait lentement l'un de l'autre ces deux êtres qui devaient s'aborder et se mêler dans un regard comme les nuages dans un éclair. Rien n'est plus réel que ces grandes secousses que deux âmes se donnent en échangeant cette étincelle.

À cette certaine heure où Cosette eut sans le savoir ce regard qui troubla Marius, Marius ne se douta pas que lui aussi eut un regard qui troubla Cosette.

Le jour où leurs yeux se rencontrèrent et se dirent

---

1. Le fait de s'enflammer.

enfin brusquement ces premières choses obscures et ineffables que le regard balbutie, Cosette ne comprit pas d'abord. Elle rentra pensive à la maison de la rue de l'Ouest où Jean Valjean, selon son habitude, était venu passer six semaines. Le lendemain, en s'éveillant, elle songea à ce jeune homme inconnu, si longtemps indifférent et glacé, qui semblait maintenant faire attention à elle. Elle avait plutôt un peu de colère contre ce beau dédaigneux. Il lui sembla, et elle en éprouvait une joie encore tout enfantine, qu'elle allait enfin se venger.

Se sachant belle, elle sentait bien, quoique d'une façon indistincte, qu'elle avait une arme. Les femmes jouent avec leur beauté comme les enfants avec leur couteau. Elles s'y blessent.

On se rappelle les hésitations de Marius, ses palpitations, ses terreurs. Il restait sur son banc et n'approchait pas. Ce qui dépitait Cosette.

Ce jour-là, le regard de Cosette rendit Marius fou, le regard de Marius rendit Cosette tremblante. Marius s'en alla confiant, et Cosette inquiète. À partir de ce jour, ils s'adorèrent.

Elle attendait tous les jours l'heure de la promenade avec impatience, elle y trouvait Marius, se sentait indiciblement heureuse, et croyait sincèrement exprimer toute sa pensée en disant à Jean Valjean :

— Quel délicieux jardin que le Luxembourg !

La vieille et éternelle mère nature avertissait sourdement Jean Valjean de la présence de Marius. Jean

Valjean tressaillait dans le plus obscur de sa pensée. Jean Valjean ne voyait rien, ne savait rien, et considérait pourtant avec une attention opiniâtre[1] les ténèbres où il était, comme s'il sentait d'un côté quelque chose qui se construisait, et de l'autre quelque chose qui s'écroulait. Marius, averti aussi par cette même mère nature, faisait tout ce qu'il pouvait pour se dérober au « père ». Il arrivait cependant que Jean Valjean l'apercevait quelquefois. Les allures de Marius n'étaient plus du tout naturelles. Il avait des prudences louches et des témérités gauches. Il ne venait plus tout près comme autrefois ; il s'asseyait loin et restait en extase : il avait un livre et faisait semblant de lire ; pourquoi faisait-il semblant ? Autrefois il venait avec son vieux habit, maintenant il avait tous les jours son habit neuf ; il avait des yeux tout drôles, il mettait des gants ; bref, Jean Valjean détestait cordialement ce jeune homme.

Jean Valjean avait commencé contre Marius une sourde guerre que Marius, avec la bêtise sublime de sa passion et de son âge, ne devina point. Jean Valjean lui tendit une foule d'embûches ; il changea d'heures, il changea de banc, il oublia son mouchoir, il vint seul au Luxembourg ; Marius donna tête baissée dans tous les panneaux. Cependant Cosette restait murée dans son insouciance apparente et dans sa tranquillité imperturbable, si bien que Jean Valjean arriva à cette

_____
1. Obstinée.

conclusion : Ce dadais est amoureux fou de Cosette, mais Cosette ne sait seulement pas qu'il existe.

Il n'en avait pas moins dans le cœur un tremblement douloureux.

Une seule fois Cosette fit une faute et l'effraya. Il se levait du banc pour partir après trois heures de station, elle dit : – Déjà !

Jean Valjean n'avait pas discontinué les promenades au Luxembourg, ne voulant rien faire de singulier, redoutant de donner l'éveil à Cosette ; mais pendant ces heures si douces pour les deux amoureux, Jean Valjean fixait sur Marius des yeux étincelants et terribles. Lui qui avait fini par ne plus se croire capable d'un sentiment malveillant, il y avait des instants où, quand Marius était là, il croyait redevenir sauvage et féroce, et il sentait se rouvrir et se soulever contre ce jeune homme ces vieilles profondeurs de son âme où il avait eu jadis tant de colère. Il lui semblait presque qu'il se reformait en lui des cratères inconnus.

Quoi ! il était là, cet être ! que venait-il faire ? il venait tourner, flairer, examiner, essayer ! il venait dire : hein ? pourquoi pas ? il venait rôder autour de son bonheur, pour le prendre et l'emporter !

Quoi ! j'aurai été d'abord le plus misérable des hommes, et puis le plus malheureux, j'aurai fait soixante ans de la vie sur les genoux, j'aurai souffert tout ce qu'on peut souffrir, j'aurai vieilli sans avoir été jeune, j'aurai vécu sans famille, sans parents, sans amis, sans femme, sans enfants, j'aurai laissé de mon sang sur toutes les pierres, sur toutes les ronces, j'aurai été doux quoiqu'on fût dur pour moi et bon quoiqu'on fût méchant, je serai redevenu honnête homme malgré tout, je me serai repenti du mal que j'ai fait et j'aurais pardonné le mal qu'on m'a fait, et au moment où je suis récompensé je perdrai Cosette, et je perdrai ma vie, ma joie, mon âme, parce qu'il aura plu à un grand niais de venir flâner au Luxembourg !

Alors ses prunelles s'emplissaient d'une clarté lugubre et extraordinaire. Ce n'était plus un homme qui regarde un homme. C'était un dogue qui regarde un voleur.

On sait le reste. Marius continua d'être insensé. Un jour il suivit Cosette rue de l'Ouest. Un autre jour il parla au portier. Le portier de son côté parla et dit à Jean Valjean :

— Monsieur, qu'est-ce que c'est donc qu'un jeune homme curieux qui vous a demandé ? – Le lendemain Jean Valjean jeta à Marius ce coup d'œil dont Marius s'aperçut enfin. Huit jours après, Jean Valjean avait déménagé. Il se jura qu'il ne remettrait plus les pieds ni au Luxembourg, ni rue de l'Ouest. Il retourna rue Plumet.

Cosette ne se plaignit pas, elle ne dit rien, elle ne fit pas de questions, elle ne chercha à savoir aucun pourquoi ; elle en était déjà à la période où l'on craint d'être pénétré et de se trahir. Jean Valjean ne comprit point la grave signification du silence de Cosette. Seulement il remarqua qu'elle était devenue triste, et il devint sombre.

Une fois il fit un essai. Il demanda à Cosette :

— Veux-tu venir au Luxembourg ?

Un rayon illumina le visage pâle de Cosette.

— Oui, dit-elle.

Ils y allèrent. Trois mois s'étaient écoulés. Marius n'y allait plus. Marius n'y était pas.

Le lendemain Jean Valjean redemanda à Cosette :

— Veux-tu venir au Luxembourg ?

Elle répondit tristement et doucement :

— Non.

Jean Valjean fut froissé de cette tristesse et navré de cette douceur.

Ces deux êtres qui s'étaient si exclusivement aimés, et d'un si touchant amour, et qui avaient vécu si longtemps l'un par l'autre, souffraient maintenant l'un à côté de l'autre, l'un à cause de l'autre, sans se le dire, sans s'en vouloir, et en souriant.

Le plus malheureux des deux, c'était Jean Valjean. La jeunesse, même dans ses chagrins, a toujours une clarté à elle.

À de certains moments, Jean Valjean souffrait tant qu'il devenait puéril[1]. Il sentait invinciblement que Cosette lui échappait. Il eût voulu lutter, la retenir.

Une secousse inattendue vint se mêler à ces pensées tristes.

---

1. Comme un enfant.

Dans la vie isolée qu'ils menaient, et depuis qu'ils étaient venus se loger rue Plumet, ils avaient une habitude. Ils faisaient quelquefois la partie de plaisir d'aller voir se lever de soleil.

Donc un matin d'octobre, tentés par la sérénité parfaite de l'automne de 1831, ils étaient sortis, et ils se trouvaient au petit jour près de la barrière du Maine. Ce n'était pas l'aurore, c'était l'aube.

Tout était paix et silence ; personne sur la chaussée ; dans les bas-côtés, quelques rares ouvriers, à peine entrevus, se rendant à leur travail.

Jean Valjean s'était assis dans la contre-allée. Il pensait à Cosette, au bonheur possible si rien ne se mettait entre elle et lui, à cette lumière dont elle remplissait sa vie, lumière qui était la respiration de son âme. Il était presque heureux dans cette rêverie. Cosette, debout près de lui, regardait les nuages devenir roses.

Tout à coup, Cosette s'écria : Père, on dirait qu'on vient là-bas. Jean Valjean leva les yeux.

Cosette avait raison.

On entendait un bruit difficile à expliquer à pareille heure, et une sorte d'encombrement confus apparaissait. On ne sait quoi d'informe, qui venait du boulevard, entrait dans la chaussée.

Cela grandissait, cela semblait se mouvoir avec ordre, pourtant c'était hérissé et frémissant. Il y avait des chevaux, des roues, des cris ; des fouets claquaient. Une voiture venait de tourner du boulevard sur la route et se dirigeait vers la barrière près de laquelle était Jean Valjean ; une deuxième, du même aspect, la suivit, puis une troisième, puis une quatrième ; sept chariots débouchèrent successivement, la tête des chevaux touchant l'arrière des voitures. Des silhouettes s'agitaient sur ces chariots, on entendait un cliquetis qui ressemblait à des chaînes remuées, cela avançait, les voix grossissaient, et c'était une chose formidable comme il en sort de la caverne des songes.

Sept voitures marchaient à la file sur la route. Les six premières avaient une structure singulière. Elles ressemblaient à des haquets[1] de tonneliers ; c'étaient des espèces de longues échelles posées sur deux roues et formant brancard à leur extrémité antérieure. Sur ces échelles étaient traînées d'étranges grappes d'hommes. Dans le peu de jour qu'il faisait, on ne voyait pas ces hommes, on les devinait. Ils avaient derrière le dos quelque chose qui sonnait et qui était une chaîne et au cou quelque chose qui brillait et qui était un carcan[2]. À l'avant et à l'arrière de chaque voiture, deux hommes, armés de fusils, se tenaient debout, ayant chacun une des extrémités de la chaîne sous son pied. Les carcans étaient carrés. La septième voiture, vaste fourgon à ridelles[3] mais sans capote, avait quatre roues et six chevaux, et portait un tas sonore de chaudières de fer, de marmites de fonte, de réchauds et de

---

1. Charrettes qui servent au transport des tonneaux.
2. Collier de fer qui entrave le prisonnier.
3. Panneaux qui forment les côtés du chariot.

chaînes, où étaient mêlés quelques hommes garrottés et couchés tout de leur long, qui paraissaient malades.

Ces voitures tenaient le milieu du pavé. Des deux côtés marchaient en double haie des gardes d'un aspect infâme, coiffés de tricornes claques[1] comme les soldats du Directoire[2], tachés, troués, sordides, affublés d'uniformes d'invalides et de pantalons de croque-morts, mi-partis gris et bleus, presque en lambeaux, avec des épaulettes rouges, des bandoulières jaunes, des coupe-choux, des fusils et des bâtons ; espèces de soldats goujats[3]. Ces sbires[4] semblaient composés de l'abjection du mendiant et de l'autorité du bourreau. Celui qui paraissait leur chef tenait à la main un fouet de poste. En tête et en queue du convoi, marchaient des gendarmes à cheval, graves, le sabre au poing.

Ce cortège était si long qu'au moment où la première voiture atteignait la barrière, la dernière débouchait à peine du boulevard.

Une foule, sortie on ne sait d'où et formée en un clin d'œil, comme cela est fréquent à Paris, se pressait des deux côtés de la chaussée et regardait. On entendait dans les ruelles voisines des cris de gens qui s'appelaient et les sabots des maraîchers qui accouraient

---

1. Chapeaux à trois pointes qui se replient.
2. Période de la Révolution pendant laquelle un comité de cinq directeurs fut chargé du pouvoir exécutif (1795-1799) et qui fut marquée par de nombreux troubles.
3. Valet d'armée.
4. Hommes chargés d'exécuter les basses besognes.

pour voir. Derrière le convoi, une troupe d'enfants éclatait de rire.

Cette file de voitures, quelle qu'elle fût, était lugubre. Il était évident que demain, que dans une heure, une averse pouvait éclater, qu'elle serait suivie d'une autre, et d'une autre, et que les vêtements délabrés seraient traversés, qu'une fois mouillés, ces hommes ne se sécheraient plus, qu'une fois glacés, ils ne se réchaufferaient plus, que leurs pantalons de toile seraient collés par l'ondée sur leurs os, que l'eau emplirait leurs sabots, que les coups de fouet ne pourraient empêcher le claquement des mâchoires, que la chaîne continuerait de les tenir par le cou, que leurs pieds continueraient de pendre ; et il était impossible de ne pas frémir en voyant ces créatures humaines liées ainsi et passives sous les froides nuées d'automne, et livrées à la pluie, à la bise, à toutes les furies de l'air, comme des arbres et comme des pierres.

Les coups de bâton n'épargnaient pas même les malades, qui gisaient noués de cordes et sans mouvement sur la septième voiture et qu'on semblait avoir jetés là comme des sacs pleins de misère. Toutes les détresses étaient dans ce cortège comme un chaos.

L'œil de Jean Valjean était devenu effrayant. Ce n'était plus une prunelle ; c'était cette vitre profonde qui remplace le regard chez certains infortunés, qui semble inconsciente de la réalité, et où flamboie la réverbération des épouvantes et des catastrophes. Il ne regardait pas un spectacle, il subissait une vision. Il voulut se lever, fuir, échapper ; il ne put remuer un pied. Quelquefois les choses qu'on voit vous saisissent, et vous tiennent. Il demeura cloué, pétrifié, stupide, se demandant, à travers une confuse angoisse inexprimable, ce que signifiait cette persécution sépulcrale[1] et d'où sortait ce pandémonium[2] qui le poursuivait. Tout à coup il porta la main à son front, geste habituel de ceux auxquels la mémoire revient subitement ; il se souvint que c'était là l'itinéraire en effet, que ce détour était d'usage pour éviter les rencontres royales toujours possibles sur la route de Fontainebleau, et que, trente-cinq ans auparavant, il avait passé par cette barrière-là.

Cosette, autrement épouvantée, ne l'était pas moins. Elle ne comprenait pas ; le souffle lui manquait ; ce qu'elle voyait ne lui semblait pas possible ; enfin elle s'écria :

— Père ! qu'est-ce qu'il y a donc dans ces voitures-là ?

Jean Valjean répondit :

— Des forçats.

— Où donc est-ce qu'ils vont ?

— Aux galères.

En ce moment la bastonnade, multipliée par cent mains, fit du zèle, les coups de plat de sabre s'en mêlèrent, ce fut comme une rage de fouets et de bâtons ; les galériens se courbèrent, une obéissance

---

1. Qui semble venir d'un tombeau.
2. Lieu où se tient le démon, lieu très bruyant.

hideuse se dégagea du supplice, et tous se turent avec des regards de loups enchaînés. Cosette tremblait de tous ses membres ; elle reprit :

— Père, est-ce que ce sont encore des hommes ?

— Quelquefois, dit le misérable.

C'était la Chaîne en effet qui, partie avant le jour de Bicêtre, prenait la route du Mans pour éviter Fontainebleau où était alors le roi. Ce détour faisait durer l'épouvantable voyage trois ou quatre jours de plus ; mais, pour épargner à la personne royale la vue d'un supplice, on peut bien le prolonger.

Jean Valjean rentra accablé. De telles rencontres sont des chocs et le souvenir qu'elles laissent ressemble à un ébranlement.

Pourtant Jean Valjean, en regagnant avec Cosette la rue de Babylone, ne remarqua point qu'elle lui fit d'autres questions au sujet de ce qu'ils venaient de voir ; peut-être était-il trop absorbé lui-même dans son accablement pour percevoir ses paroles et pour lui répondre. Seulement le soir, comme Cosette le quittait pour s'aller coucher, il l'entendit qui disait à demi-voix et comme se parlant à elle-même : – Il me semble que si je trouvais sur mon chemin un de ces hommes-là, ô mon Dieu, je mourrais rien que de le voir de près !

4

Peurs de Cosette

Dans la première quinzaine d'avril, Jean Valjean fit un voyage. Cela, on le sait, lui arrivait de temps en temps, à de très longs intervalles. Il restait absent un ou deux jours au plus. Où allait-il ? personne ne le savait, pas même Cosette. C'était en général quand l'argent manquait à la maison que Jean Valjean faisait ces petits voyages.

Jean Valjean était donc absent. Il avait dit : Je reviendrai dans trois jours.

Le soir, Cosette était seule dans le salon. Pour se désennuyer, elle avait ouvert son piano-orgue et elle s'était mise à chanter. Quand elle eut fini, elle demeura pensive.

Tout à coup il lui sembla qu'elle entendait marcher dans le jardin. Il était dix heures du soir.

Elle alla près du volet du salon qui était fermé et y colla son oreille.

Il lui parut que c'était le pas d'un homme, et qu'on marchait très doucement.

Elle monta rapidement au premier, dans sa chambre, ouvrit un vasistas percé dans son volet, et regarda dans le jardin. C'était le moment de la pleine lune. On y voyait comme s'il eût fait jour.

Il n'y avait personne.

Elle ouvrit la fenêtre. Le jardin était absolument calme, et tout ce qu'on apercevait de la rue était désert comme toujours.

Cosette pensa qu'elle s'était trompée et n'y songea plus.

Le lendemain, moins tard, à la tombée de la nuit, elle se promenait dans le jardin. Au milieu des pensées confuses qui l'occupaient, elle croyait bien percevoir par instants un bruit pareil au bruit de la veille, mais elle se disait que rien ne ressemble à un pas qui marche dans l'herbe comme le froissement de deux branches qui se déplacent d'elles-mêmes, et elle n'y prenait pas garde. Elle ne voyait rien d'ailleurs.

Elle sortit de « la broussaille » ; il lui restait à traverser une petite pelouse verte pour regagner le perron. La lune qui venait de se lever derrière elle projeta, comme Cosette sortait du massif, son ombre devant elle sur cette pelouse. Cosette s'arrêta terrifiée.

À côté de son ombre, la lune découpait distinctement sur le gazon une autre ombre singulièrement effrayante et terrible, une ombre qui avait un chapeau rond.

Elle fut une minute sans pouvoir parler, ni crier, ni appeler, ni bouger, ni tourner la tête. Enfin elle rassembla tout son courage et se retourna résolument.

Il n'y avait personne.

Elle regarda à terre. L'ombre avait disparu.

Elle rentra dans la broussaille, fureta hardiment dans les coins, alla jusqu'à la grille, et ne trouva rien.

Elle se sentit vraiment glacée. Était-ce encore une hallucination ? Ce qui était inquiétant, c'est que l'ombre n'était assurément pas un fantôme. Les fantômes ne portent guère de chapeaux ronds.

Le lendemain Jean Valjean revint. Cosette lui conta ce qu'elle avait cru entendre et voir.

Jean Valjean devint soucieux.

— Ce ne peut être rien, lui dit-il.

Il la quitta sous un prétexte et alla dans le jardin, et elle l'aperçut qui examinait la grille avec beaucoup d'attention.

Dans la nuit elle se réveilla ; cette fois elle était sûre, elle entendait distinctement marcher tout près du perron au-dessous de sa fenêtre. Elle courut à son vasistas et l'ouvrit. Il y avait en effet dans le jardin un homme qui tenait un gros bâton à la main. Au moment où elle allait crier, la lune éclaira le profil de l'homme. C'était son père.

Elle se recoucha en se disant : — Il est donc bien inquiet !

Jean Valjean passa dans le jardin cette nuit-là et les deux nuits qui suivirent. Cosette le vit par le trou de son volet.

La troisième nuit, la lune décroissait et commençait à se lever plus tard, il pouvait être une heure du matin, elle entendit un grand éclat de rire et la voix de son père qui l'appelait :

— Cosette !

Elle se jeta à bas du lit, passa sa robe de chambre et ouvrit sa fenêtre.

Son père était en bas sur la pelouse.

— Je te réveille pour te rassurer, dit-il, regarde. Voici ton ombre en chapeau rond.

Et il lui montrait sur le gazon une ombre portée que la lune dessinait et qui ressemblait en effet assez bien au spectre d'un homme qui eût un chapeau rond. C'était une silhouette produite par un tuyau de cheminée en tôle, à chapiteau, qui s'élevait au-dessus d'un toit voisin.

Jean Valjean redevint tout à fait tranquille ; quant à Cosette, elle ne remarqua pas beaucoup si le tuyau de poêle était bien dans la direction de l'ombre qu'elle avait vue ou cru voir, et si la lune se trouvait au même point du ciel. Elle ne s'interrogea point sur cette singularité[1] d'un tuyau de poêle qui craint d'être pris en

---

1. Bizarrerie.

flagrant délit et qui se retire quand on regarde son ombre, car l'ombre s'était effacée quand Cosette s'était retournée et Cosette avait bien cru en être sûre. Cosette se rasséréna pleinement.

À quelques jours de là cependant un nouvel incident se produisit.

Dans le jardin, près de la grille sur la rue, il y avait un banc de pierre défendu par une charmille[1] du regard des curieux, mais auquel pourtant, à la rigueur, le bras d'un passant pouvait atteindre à travers la grille et la charmille.

Un soir de ce même mois d'avril, Jean Valjean était sorti, Cosette, après le soleil couché, s'était assise sur ce banc. Le vent fraîchissait dans les arbres. Cosette songeait ; une tristesse sans objet la gagnait peu à peu.

Cosette se leva, fit lentement le tour du jardin, marchant dans l'herbe inondée de rosée. Puis elle revint au banc.

Au moment de s'y rasseoir, elle remarqua à la place qu'elle avait quittée une assez grosse pierre qui n'y était évidemment pas l'instant d'auparavant.

Il y avait dessous quelque chose qui ressemblait à une lettre.

C'était une enveloppe de papier blanc. Cosette s'en saisit. Il n'y avait pas d'adresse d'un côté, pas de cachet de l'autre. Cosette tira de l'enveloppe ce qu'elle contenait, un petit cahier de papier, dont chaque page était

_____
1. Allée d'arbres.

numérotée et portait quelques lignes écrites d'une écriture assez jolie, pensa Cosette.

Cosette chercha un nom, il n'y en avait pas ; une signature, il n'y en avait pas. À qui cela était-il adressé ? À elle probablement, puisqu'une main avait déposé le paquet sur son banc. De qui cela venait-il ?

Voici ce qu'elle lut :

La réduction de l'univers à un seul être, la dilatation d'un seul être jusqu'à Dieu, voilà l'amour.

L'avenir appartient encore bien plus aux cœurs qu'aux esprits. Aimer, voilà la seule chose qui puisse occuper et remplir l'éternité. À l'infini, il faut l'inépuisable.

Le jour où une femme qui passe devant vous dégage de la lumière en marchant, vous êtes perdu, vous aimez. Vous n'avez plus qu'une chose à faire, penser à elle si fixement qu'elle soit contrainte de penser à vous.

Ce que l'amour commence ne peut être achevé que par Dieu.

— Vient-elle encore au Luxembourg ? – Non, monsieur. – C'est dans cette église qu'elle entend la messe, n'est-ce pas ?... Elle n'y vient plus. – Habite-t-elle toujours cette maison ? – Elle est déménagée. – Où est-elle allée demeurer ? – Elle ne l'a pas dit.

Quelle chose sombre de ne pas savoir l'adresse de son âme !

J'ai rencontré dans la rue un jeune homme très pauvre qui aimait. Son chapeau était vieux, son habit était usé ; il avait les coudes troués ; l'eau passait à travers ses souliers et les astres à travers son âme.

S'il n'y avait pas quelqu'un qui aime, le soleil s'éteindrait.

Toute la journée, Cosette fut dans une sorte d'étourdissement. Il lui semblait par moments qu'elle entrait dans le chimérique ; elle se disait : est-ce réel ? Alors elle tâtait le papier bien-aimé sous sa robe, elle le pressait contre son cœur, elle en sentait les angles sur sa chair, et si Jean Valjean l'eût vue en ce moment, il eût frémi devant cette joie lumineuse et inconnue qui lui débordait des paupières. – Oh ! oui ! pensait-elle. C'est bien lui ! Ceci vient de lui pour moi ! Et elle se disait qu'un hasard céleste le lui avait rendu.

5

Les vieux sont faits
pour sortir à propos

Le soir venu, Jean Valjean sortit, Cosette s'habilla. Elle
arrangea ses cheveux de la manière qui lui allait le
mieux, et elle mit une robe dont le corsage, qui avait
reçu un coup de ciseau de trop, et qui, par cette échan-
crure, laissait voir la naissance du cou, était, comme
disent les jeunes filles, « un peu indécent ». Ce n'était
pas le moins du monde indécent, mais c'était plus joli
qu'autrement. Elle fit toute cette toilette sans savoir
pourquoi.

À la brune, elle descendit au jardin. Toussaint était
occupée à sa cuisine qui donnait sur l'arrière-cour.

Elle se mit à marcher sous les branches et arriva
ainsi au banc. La pierre y était restée.

Tout à coup, elle eut cette impression indéfinissable

qu'on éprouve, même sans voir, lorsqu'on a quelqu'un debout derrière soi.

Elle tourna la tête et se dressa. C'était lui.

Il était tête nue. Il paraissait pâle et amaigri. On distinguait à peine son vêtement noir. Le crépuscule blêmissait son beau front et couvrait ses yeux de ténèbres.

Son chapeau était jeté à quelques pas dans les broussailles.

Cosette, prête à défaillir, ne poussa pas un cri. Elle reculait lentement, car elle se sentait attirée. Lui ne bougeait point. À je ne sais quoi d'ineffable et de triste qui l'enveloppait, elle sentait le regard de ses yeux qu'elle ne voyait pas.

Cosette, en reculant, rencontra un arbre et s'y adossa. Sans cet arbre, elle fût tombée.

Alors elle entendit sa voix, cette voix qu'elle n'avait vraiment jamais entendue, qui s'élevait à peine au-dessus du frémissement des feuilles, et qui murmurait :

— Pardonnez-moi, je suis là. J'ai le cœur gonflé, je ne pouvais pas vivre comme j'étais, je suis venu. Avez-vous lu ce que j'avais mis là, sur ce banc ? Me reconnaissez-vous un peu ? N'ayez pas peur de moi. Voilà du temps déjà, vous rappelez-vous où vous m'avez regardé ? c'était dans le Luxembourg, près du gladiateur. Depuis bien longtemps, je ne vous ai plus vue. J'ai demandé à la loueuse de chaises, elle m'a dit qu'elle ne vous voyait plus.

Vous demeuriez rue de l'Ouest au troisième sur le devant dans une maison neuve, vous voyez que je sais. Je vous suivais, moi. Qu'est-ce que j'avais à faire ? Et puis vous avez disparu. La nuit, je viens ici. Ne craignez pas, personne ne me voit. Je viens regarder vos fenêtres de près. Je marche bien doucement pour que vous n'entendiez pas, car vous auriez peut-être peur. L'autre soir j'étais derrière vous, vous vous êtes retournée, je me suis enfui. Une fois je vous ai entendue chanter. J'étais heureux. Est-ce que cela vous fait quelque chose que je vous entende chanter à travers le volet ? cela ne peut rien vous faire. Non, n'est-ce pas ? Voyez-vous, vous êtes mon ange, laissez-moi venir un peu. Je crois que je vais mourir. Si vous saviez ! je vous adore, moi ! Pardonnez-moi, je vous parle, je ne sais pas ce que je vous dis, je vous fâche peut-être ; est-ce que je vous fâche ?

— Ô ma mère ! dit-elle.

Et elle s'affaissa sur elle-même comme si elle se mourait.

Il la prit, elle tombait, il la prit dans ses bras, il la serra étroitement sans avoir conscience de ce qu'il faisait.

Elle lui prit une main et la posa sur son cœur. Il sentit le papier qui y était, il balbutia :

— Vous m'aimez donc ?

Elle répondit d'une voix si basse que ce n'était plus qu'un souffle qu'on entendait à peine :

— Tais-toi ! tu le sais !

Et elle cacha sa tête rouge dans le sein du jeune homme superbe et enivré.

Il tomba sur le banc, elle près de lui. Ils n'avaient plus de paroles. Les étoiles commençaient à rayonner. Comment se fit-il que leurs lèvres se rencontrèrent ? Comment se fait-il que l'oiseau chante, que la neige fonde, que la rose s'ouvre, que mai s'épanouisse, que l'aube blanchisse derrière les arbres noirs au sommet frissonnant des collines ?

Un baiser, et ce fut tout.

Tous deux tressaillirent, et ils se regardèrent dans l'ombre avec des yeux éclatants.

Ils ne sentaient ni la nuit fraîche, ni la pierre froide, ni la terre humide, ni l'herbe mouillée, ils se regardaient et ils avaient le cœur plein de pensées. Ils s'étaient pris les mains, sans savoir.

Peu à peu ils se parlèrent. L'épanchement[1] succéda au silence qui est la plénitude. La nuit était sereine et splendide au-dessus de leur tête. Ces deux êtres, purs comme des esprits, se dirent tout, leurs songes, leurs ivresses, leurs extases, leurs chimères, leurs défaillances, comme ils s'étaient adorés de loin, comme ils s'étaient souhaités, leur désespoir quand ils avaient cessé de s'apercevoir. Ils se racontèrent, avec une foi candide[2] dans leurs illusions, tout ce que

_____

1. Longue conversation.
2. Pure.

l'amour, la jeunesse et ce reste d'enfance qu'ils avaient leur mettaient dans la pensée.

Quand ils eurent fini, quand ils se furent tout dit, elle posa sa tête sur son épaule et lui demanda :

— Comment vous appelez-vous ?

— Je m'appelle Marius, dit-il. Et vous ?

— Je m'appelle Cosette.

6

Méchante espièglerie du vent

Depuis 1823, tandis que la gargote de Montfermeil sombrait et s'engloutissait peu à peu, non dans l'abîme d'une banqueroute[1], mais dans le cloaque[2] des petites dettes, les mariés Thénardier avaient eu deux autres enfants, mâles tous deux. Cela faisait cinq : deux filles et trois garçons. C'était beaucoup.

La Thénardier s'était débarrassée des deux derniers, encore en bas âge et tout petits, avec un bonheur singulier. La Thénardier n'était mère que jusqu'à ses filles. Sa maternité finissait là. Sa haine du genre humain commençait à ses garçons.

Expliquons comment les Thénardier étaient parve-

---

1. Faillite.
2. Ici, déchéance.

nus à s'exonérer de leurs deux derniers enfants, et même à en tirer profit.

Cette fille Magnon, dont il a été question quelques pages plus haut, était la même qui avait réussi à faire renter[1] par le bonhomme Gillenormand les deux enfants qu'elle avait. On se souvient de la grande épidémie de croup[2] qui désola Paris, il y a trente-cinq ans. Dans cette épidémie, la Magnon perdit ses deux garçons, encore en très bas âge. Ce fut un coup. Ces enfants étaient précieux à leur mère ; ils représentaient quatre-vingts francs par mois fort exactement soldés, au nom de M. Gillenormand, par son receveur de rentes. Les enfants morts, la rente était enterrée. La Magnon chercha un expédient. Dans cette ténébreuse maçonnerie[3] du mal dont elle faisait partie, on sait tout, on se garde le secret, et l'on s'entraide. Il fallait deux enfants à la Magnon ; la Thénardier en avait deux. Même sexe, même âge. Les petits Thénardier devinrent les petits Magnon. La Magnon quitta le quai des Célestins et alla demeurer rue Clocheperce.

L'état civil, n'étant averti par rien, ne réclama pas, et la substitution se fit le plus simplement du monde. Seulement le Thénardier exigea, pour ce prêt d'enfants, dix francs par mois que la Magnon promit, et même paya. Il va sans dire que M. Gillenormand

1. Faire verser une rente.
2. Grave maladie de la gorge.
3. Ici, société secrète.

continua de s'exécuter. Il ne s'aperçut pas du change-ment.

Thénardier saisit cette occasion de devenir Jon-drette. Ses deux filles et Gavroche avaient à peine eu le temps de s'apercevoir qu'ils avaient deux petits frères. À un certain degré de misère, on est gagné par une sorte d'indifférence et vos plus proches ne sont souvent pour vous que de vagues formes de l'ombre, à peine distinctes du fond nébuleux de la vie.

La Magnon était une sorte d'élégante du crime. Elle faisait de la toilette. Elle partageait son logis, meublé d'une façon maniérée et misérable, avec une savante voleuse anglaise. On l'appelait *mamselle Miss*.

Les deux petits échus à la Magnon n'eurent pas à se plaindre. Recommandés par les quatre-vingts francs, ils étaient ménagés, comme tout ce qui est exploité.

Ils passèrent ainsi quelques années.

Tout à coup, ces deux pauvres enfants, jusque-là assez protégés, même par leur mauvais sort, furent brusquement jetés dans la vie.

Une arrestation en masse de malfaiteurs comme celle du galetas Jondrette, nécessairement compliquée de perquisitions[1] et d'incarcérations[2] ultérieures, est un véritable désastre pour cette hideuse contre-société occulte[3] qui vit sous la société publique ; une aventure

---

1. Fouille du domicile par la police.
2. Le fait de mettre en prison.
3. Secrète.

de ce genre entraîne toutes sortes d'écroulements dans ce monde sombre. La catastrophe des Thénardier produisit la catastrophe de la Magnon.

Un jour, il se fit rue Clocheperce une subite descente de police ; la Magnon fut saisie, ainsi que mamselle Miss, et toute la maisonnée, qui était suspecte, passa dans le coup de filet. Les deux petits garçons jouaient pendant ce temps-là dans une arrière-cour et ne virent rien de la razzia[1]. Quand ils voulurent rentrer, ils trouvèrent la porte fermée et la maison vide.

L'aîné menant le cadet, ils se mirent à errer au hasard dans les rues.

Le printemps à Paris est assez souvent traversé par des bises aigres et dures.

Un soir que ces bises soufflaient rudement, le petit Gavroche toujours grelottant gaîment sous ses loques, se tenait debout et comme en extase devant la boutique d'un perruquier des environs de l'Orme-Saint-Gervais. Il était orné d'un châle de femme en laine, cueilli on ne sait où, dont il s'était fait un cachenez. Il avait l'air d'admirer profondément une mariée en cire qui tournait derrière la vitre, montrant, entre deux quinquets[2], son sourire aux passants ; mais en réalité il observait la boutique afin de voir s'il ne pourrait pas « chiper » dans la devanture un pain de savon, qu'il irait ensuite revendre un sou à un « coiffeur » de la banlieue. Il lui arrivait souvent de déjeuner d'un de

---

1. L'arrestation rapide de plusieurs personnes en même temps.
2. Lampes à huile.

220

ces pains-là. Il appelait ce genre de travail, pour lequel il avait du talent, « faire la barbe aux barbiers ».

Le barbier, dans sa boutique chauffée d'un bon poêle, rasait une pratique[1] et jetait de temps en temps un regard de côté à cet ennemi.

Pendant que Gavroche examinait la mariée, deux enfants de taille inégale, assez proprement vêtus, paraissant l'un sept ans, l'autre cinq, tournèrent timidement le bec de cane et entrèrent dans la boutique en demandant on ne sait quoi. Ils parlaient tous deux à la fois, et leurs paroles étaient inintelligibles parce que les sanglots coupaient la voix du plus jeune et que le froid faisait claquer les dents de l'aîné. Le barbier se tourna avec un visage furieux, et sans quitter son rasoir, les poussa dans la rue et referma sa porte en disant :

— Venir refroidir le monde pour rien !

Les deux enfants se remirent en marche en pleurant. Il commençait à pleuvoir.

Le petit Gavroche courut après eux et les aborda :

— Qu'est-ce que vous avez donc, moutards ?

— Nous ne savons pas où coucher, répondit l'aîné.

Prenant, à travers sa supériorité un peu goguenarde, un accent d'autorité attendrie et de protection douce :

— Momacques[2], venez avec moi, dit Gavroche.

Et les deux enfants le suivirent comme ils auraient suivi un archevêque. Ils avaient cessé de pleurer.

---

1. Client.
2. Mômes (argot).

Gavroche leur fit monter la rue Saint-Antoine dans la direction de la Bastille.

Gavroche, tout en cheminant, jeta un coup d'œil indigné et rétrospectif à la boutique du barbier.

— Ça n'a pas de cœur, ce merlan-là, grommela-t-il. C'est un angliche.

Une fille, les voyant marcher à la file tous les trois, Gavroche en tête, partit d'un rire bruyant. Ce rire manquait de respect au groupe.

Il apostropha, en enjambant un ruisseau, une portière barbue, laquelle avait son balai à la main.

— Madame, lui dit-il, vous sortez donc avec votre cheval ?

Et sur ce, il éclaboussa les bottes vernies d'un passant.

— Drôle ! cria le passant furieux.

Gavroche leva le nez par-dessus son châle.

— Monsieur se plaint ?

— De toi ! fit le passant.

— Le bureau est fermé, dit Gavroche, je ne reçois plus de plaintes.

Cependant, en continuant de monter la rue, il avisa, toute glacée sous une porte cochère, une mendiante de treize ou quatorze ans, si court-vêtue qu'on voyait ses genoux.

— Pauvre fille ! dit Gavroche. Ça n'a même pas de culotte. Tiens, prends toujours ça.

Et, défaisant toute cette bonne laine qu'il avait

autour du cou, il la jeta sur les épaules maigres de la mendiante, où le cache-nez redevint châle.

La petite le considéra d'un air étonné et reçut le châle en silence. À un certain degré de détresse, le pauvre, dans sa stupeur, ne gémit plus du mal et ne remercie plus du bien.

— Ah çà, s'écria Gavroche, qu'est-ce que cela signifie ? Il repleut ! Bon Dieu, si cela continue, je me désabonne.

Et il se remit en marche.

Les deux enfants emboîtaient le pas derrière lui.

Comme ils passaient devant un de ces épais treillis grillés qui indiquent la boutique d'un boulanger, car on met le pain comme l'or derrière des grillages de fer, Gavroche se tourna :

— Ah çà, mômes, avons-nous dîné ?

— Monsieur, répondit l'aîné, nous n'avons pas mangé depuis tantôt ce matin.

— Vous êtes donc sans père ni mère ? reprit majestueusement Gavroche.

— Faites excuse, monsieur, nous avons papa et maman, mais nous ne savons pas où ils sont.

— Des fois, cela vaut mieux que de le savoir, dit Gavroche qui était un penseur.

— Voilà, continua l'aîné, deux heures que nous marchons, nous avons cherché des choses au coin des bornes, mais nous ne trouvons rien.

— Je sais, fit Gavroche. C'est les chiens qui mangent tout.

L'aîné des deux mômes, presque entièrement revenu à la prompte insouciance de l'enfance, fit cette exclamation :

— C'est drôle tout de même. Maman qui avait dit qu'elle nous mènerait chercher du buis bénit le dimanche des Rameaux.

— Neurs, répondit Gavroche.

Gavroche s'était arrêté, et depuis quelques minutes il tâtait et fouillait toutes sortes de recoins qu'il avait dans ses haillons.

Enfin il releva la tête d'un air qui ne voulait qu'être satisfait, mais qui était en réalité triomphant.

— Calmons-nous, les momignards. Voici de quoi souper pour trois.

Et il tira d'une de ses poches un sou.

Sans laisser aux deux petits le temps de s'ébahir, il les poussa tous deux devant lui dans la boutique du boulanger, et mit son sou sur le comptoir en criant :

— Garçon ! cinque centimes de pain.

Le boulanger, qui était le maître en personne, prit un pain et un couteau.

— En trois morceaux, garçon ! reprit Gavroche, et il ajouta avec dignité :

— Nous sommes trois.

Quand le pain fut coupé, le boulanger encaissa le sou, et Gavroche dit aux deux enfants :

— Morfilez.

Les petits garçons le regardèrent interdits.

Gavroche se mit à rire :

— Ah ! tiens, c'est vrai, ça ne sait pas encore, c'est si petit.

Et il reprit :

— Mangez.

En même temps, il leur tendait à chacun un morceau de pain.

Il y avait un morceau plus petit que les deux autres ; il le prit pour lui.

Les pauvres enfants étaient affamés, y compris Gavroche. Tout en arrachant leur pain à belles dents, ils atteignaient l'angle de cette morose rue des Ballets au fond de laquelle on aperçoit le guichet bas et hostile de la Force :

— Tiens, c'est toi, Gavroche ? dit quelqu'un.

— Tiens, c'est toi, Montparnasse ? dit Gavroche.

C'était un homme qui venait d'aborder le gamin, et cet homme n'était autre que Montparnasse déguisé, avec des besicles[1] bleues, mais reconnaissable pour Gavroche.

— Mâtin ! poursuivit Gavroche, tu as une pelure couleur cataplasme de graine de lin et des lunettes bleues comme un médecin. Tu as du style, parole de vieux !

— Chut, fit Montparnasse, pas si haut ! Où vas-tu ?

Gavroche montra ses deux protégés et dit :

— Je vas coucher ces enfants-là chez moi.

— Où ça chez toi ? Tu loges donc ?

_____

1. Lunettes.

— Oui, je loge dans l'éléphant, dit Gavroche.

— Ah oui ! l'éléphant. Y est-on bien ?

— Très bien, fit Gavroche. Là, vrai, chenument. Il n'y a pas de vents coulis[1] comme sous les ponts.

— Comment y entres-tu ? Il y a donc un trou ?

— Parbleu ! Mais il ne faut pas le dire. C'est entre les jambes de devant. Les coqueurs[2] ne l'ont pas vu.

— Et tu grimpes ? Oui, je comprends.

— Un tour de main, cric, crac, c'est fait, plus personne.

Après un silence, Gavroche ajouta :

— Pour ces petits j'aurai une échelle.

Montparnasse se mit à rire.

— Où diable as-tu pris ces mions-là ?

— C'est des momichards dont un perruquier m'a fait cadeau.

Cependant Montparnasse était devenu pensif.

— Tu m'as reconnu bien aisément, murmura-t-il.

Il prit dans sa poche deux petits objets qui n'étaient autre chose que deux tuyaux de plume enveloppés de coton et s'en introduisit un dans chaque narine. Ceci lui faisait un autre nez.

— Ça te change, dit Gavroche, tu es moins laid, tu devrais garder toujours ça.

Malheureusement Montparnasse était soucieux.

Il posa sa main sur l'épaule de Gavroche et lui dit en appuyant sur les mots :

---

1. Courant d'air.
2. Gens de police.

— Écoute ce que je te dis, garçon, si j'étais sur la place, avec mon dogue, ma dague et ma digue, et si vous me prodiguiez dix gros sous, je ne refuserais pas d'y goupiner[1], mais nous ne sommes pas le mardi gras.

Cette phrase bizarre produisit sur le gamin un effet singulier. Il se retourna vivement, promena avec une attention profonde ses petits yeux brillants autour de lui, et aperçut, à quelques pas, un sergent de ville qui leur tournait le dos. Gavroche laissa échapper un : ah, bon ! qu'il réprima sur-le-champ, et, secouant la main de Montparnasse :

— Eh bien, bonsoir, fit-il, je m'en vas à mon éléphant avec mes mômes. Une supposition que tu aurais besoin de moi une nuit, tu viendrais me trouver là. Je loge à l'entresol. Il n'y a pas de portier. Tu demanderais monsieur Gavroche.

— C'est bon, dit Montparnasse.

Et ils se séparèrent, Montparnasse cheminant vers la Grève et Gavroche vers la Bastille. Le petit de cinq ans, traîné par son frère que traînait Gavroche.

La phrase amphigourique[2] par laquelle Montparnasse avait averti Gavroche de la présence du sergent de ville ne contenait pas d'autre talisman que l'assonance *dig* répétée cinq ou six fois sous des formes variées. Cette syllabe *dig,* non prononcée isolément, mais artistement mêlée aux mots d'une phrase, veut

---

1. Travailler.
2. Obscure, inintelligible.

dire : – *Prenons garde, on ne peut pas parler librement. Mon dogue, ma dague et ma digue,* locution de l'argot du Temple signifie, *mon chien, mon couteau et ma femme.*

7

L'éléphant de la Bastille

En arrivant près de l'éléphant, place de la Bastille, Gavroche comprit l'effet que l'infiniment grand peut produire sur l'infiniment petit, et dit :

— Moutards ! n'ayez pas peur.

Puis il entra par une lacune de la palissade dans l'enceinte de l'éléphant et aida les mômes à enjamber la brèche. Les deux enfants, un peu effrayés, suivaient sans dire mot Gavroche et se confiaient à cette petite providence en guenilles qui leur avait donné du pain et leur avait promis un gîte.

Il y avait là, couchée le long de la palissade, une échelle qui servait le jour aux ouvriers du chantier voisin. Gavroche la souleva avec une singulière vigueur, et l'appliqua contre une des jambes de devant de l'éléphant. Vers le point où l'échelle allait aboutir, on distinguait une espèce de trou noir dans le ventre du colosse.

Gavroche montra l'échelle et le trou à ses hôtes et leur dit :

— Montez et entrez.

Les deux petits garçons se regardèrent terrifiés.

— Vous avez peur, mômes ? s'écria Gavroche. Vous allez voir.

Il étreignit le pied rugueux de l'éléphant, et en un clin d'œil, sans daigner se servir de l'échelle, il arriva à la crevasse. Il y entra comme une couleuvre qui se glisse dans une fente, et s'y enfonça, et un moment après les deux enfants virent vaguement apparaître, comme une forme blanchâtre et blafarde sa tête pâle au bord du trou plein des ténèbres.

— Eh bien, cria-t-il, montez donc, les momignards ! Vous allez voir comme on est bien ! Monte, toi ! dit-il à l'aîné, je te tends la main.

Les petits se poussèrent de l'épaule, le gamin leur faisait peur et les rassurait à la fois, et puis il pleuvait bien fort. L'aîné se risqua. Le plus jeune, en voyant monter son frère et lui resté tout seul entre les pattes de cette grosse bête, avait bien envie de pleurer, mais il n'osait.

L'aîné gravissait, tout en chancelant, les barreaux de l'échelle ; Gavroche, chemin faisant, l'encourageait par des exclamations de maître d'armes à ses écoliers ou de muletier à ses mules :

— Aye pas peur ! C'est ça ! Va toujours ! Mets ton pied là ! Ta main ici. Hardi !

Et quand il fut à sa portée, il l'empoigna brusquement par le bras et le tira à lui.

— Maintenant, fit Gavroche, attends-moi. Monsieur, prenez la peine de vous asseoir.

Et, sortant de la crevasse comme il y était entré, il se laissa glisser avec l'agilité d'un ouistiti le long de la jambe de l'éléphant, il tomba debout sur ses pieds dans l'herbe, saisit le petit de cinq ans à bras-le-corps et le planta au beau milieu de l'échelle, puis il se mit à monter derrière lui en criant à l'aîné :

— Je vas le pousser, tu vas le tirer.

En un instant le petit fut monté, poussé, traîné, tiré, bourré, fourré dans le trou sans avoir eu le temps de se reconnaître, et Gavroche, entrant après lui, repoussant d'un coup de talon l'échelle qui tomba sur le gazon, se mit à battre des mains et cria :

— Les mioches, vous êtes chez moi.

Gavroche était en effet chez lui.

Le trou par où Gavroche était entré était une brèche à peine visible sous le ventre de l'éléphant, et si étroite qu'il n'y avait guère que des chats et des mômes qui puissent y passer.

— Commençons, dit Gavroche, par dire au portier que nous n'y sommes pas.

Et plongeant dans l'obscurité avec certitude comme quelqu'un qui connaît son appartement, il prit une planche et en boucha le trou.

Gavroche replongea dans l'obscurité.

Une clarté subite leur fit cligner les yeux ; Gavroche venait d'allumer un de ces bouts de ficelle trempés dans la résine qu'on appelle rats de cave. Le rat de cave, qui fumait plus qu'il n'éclairait, rendait confusément visible le dedans de l'éléphant.

Les deux enfants commençaient à regarder l'appartement avec moins d'effroi ; mais Gavroche ne leur laissa pas plus longtemps le loisir de la contemplation.

— Vite, dit-il.

Et il les poussa vers ce que nous sommes très heureux de pouvoir appeler le fond de la chambre. Là était son lit. Le matelas était une natte de paille, la couverture un assez vaste pagne de grosse laine grise fort chaude et presque neuve. Trois échalas[1] assez longs enfoncés dans les gravois[2] du sol, c'est-à-dire du ventre de l'éléphant, deux en avant, un en arrière, et réunis par une corde à leur sommet, de manière à former un faisceau pyramidal. Ce faisceau supportait un treillage de fil de laiton qui était simplement posé dessus, mais artistement appliqué et maintenu par des attaches de fil de fer, de sorte qu'il enveloppait entièrement les trois échalas. Un cordon de grosses pierres fixait tout autour ce treillage sur le sol, de manière à ne rien laisser passer. Ce treillage n'était autre chose qu'un morceau de ces grillages de cuivre dont on revêt les volières dans les ménageries. Le lit de Gavroche

1. Poteaux.
2. Plâtras et poussière.

était sous ce grillage comme dans une cage. L'ensemble ressemblait à une tente d'esquimau.

C'est ce grillage qui tenait lieu de rideaux.

Gavroche dérangea un peu les pierres qui assujettissaient le grillage par-devant, les deux pans du treillage qui retombaient l'un sur l'autre s'écartèrent.

— Mômes à quatre pattes ! dit Gavroche.

Il fit entrer avec précaution ses hôtes dans la cage, puis il y entra après eux, en rampant, rapprocha les pierres et referma hermétiquement l'ouverture.

Ils s'étaient étendus tous trois sur la natte.

Si petits qu'ils fussent, aucun d'eux n'eût pu se tenir debout dans l'alcôve. Gavroche avait toujours le rat de cave à la main.

— Maintenant, dit-il, pioncez ! Je vais supprimer le candélabre[1].

— Monsieur, demanda l'aîné des deux frères à Gavroche en montrant le grillage, qu'est-ce que c'est donc que ça ?

— Ça, dit Gavroche gravement, c'est pour les rats. Pioncez !

Les deux enfants considéraient avec un respect craintif et stupéfait cet être intrépide et inventif, vagabond comme eux, isolé comme eux, chétif comme eux, qui avait quelque chose d'admirable et de tout-puissant, qui leur semblait surnaturel, et dont la physionomie se composait de toutes les grimaces d'un

---

1. Grand chandelier, lampadaire (ironique).

vieux saltimbanque mêlées au plus naïf et au plus charmant sourire :

— Monsieur, fit timidement l'aîné, vous n'avez donc pas peur des sergents de ville ?

Gavroche se borna à répondre :

— Môme ! on ne dit pas les sergents de ville, on dit les cognes.

Le tout petit avait les yeux ouverts, mais il ne disait rien. Comme il était au bord de la natte, l'aîné étant au milieu, Gavroche lui borda la couverture comme eût fait une mère et exhaussa[1] la natte sous sa tête avec de vieux chiffons de manière à faire au môme un oreiller. Puis il souffla le lumignon[2].

À peine la lumière était-elle éteinte qu'un tremblement singulier commença à ébranler le treillage sous lequel les trois enfants étaient couchés. C'était une multitude de frottements sourds qui rendaient un son métallique, comme si des griffes et des dents grinçaient sur le fil de cuivre. Cela était accompagné de toutes sortes de petits cris aigus.

Le petit garçon de cinq ans, entendant ce vacarme au-dessus de sa tête et glacé d'épouvante, poussa du coude son frère aîné, mais le frère aîné « pionçait » déjà, comme Gavroche le lui avait ordonné. Alors le petit, n'en pouvant plus de peur, osa interpeller Gavroche, mais tout bas, en retenant son haleine :

— Monsieur ?

---

1. Souleva.
2. Lanterne.

— Hein ? fit Gavroche qui venait de fermer les paupières.

— Qu'est-ce que c'est donc que ça ?

— C'est les rats, répondit Gavroche.

Et il remit sa tête sur la natte.

Cependant le petit ne dormait pas.

— Monsieur ! reprit-il.

— Hein ? fit Gavroche.

— Qu'est-ce que c'est donc que les rats ?

— C'est des souris.

Cette explication rassura un peu l'enfant. Il avait vu dans sa vie des souris blanches et il n'en avait pas eu peur. Pourtant il éleva encore la voix :

— Monsieur ?

— Hein ? reprit Gavroche.

— Pourquoi n'avez-vous pas un chat ?

— J'en ai eu un, répondit Gavroche, j'en ai apporté un, mais ils me l'ont mangé.

Cette seconde explication défit l'œuvre de la première, et le petit recommença à trembler.

— Monsieur !

— Hein ?

— Qui ça qui a été mangé ?

— Le chat.

— Qui a mangé le chat ?

— Les rats.

— Les souris ?

— Oui, les rats.

La terreur de l'enfant était au comble. Mais Gavroche ajouta :

— N'eïlle pas peur ! ils ne peuvent pas entrer. Et puis je suis là ! Tiens, prends ma main. Tais-toi, et pionce !

Gavroche en même temps prit la main du petit par-dessus son frère. L'enfant serra cette main contre lui et se sentit rassuré. Le silence s'était refait autour d'eux, le bruit des voix avait effrayé et éloigné les rats ; au bout de quelques minutes ils eurent beau revenir et faire rage, les trois mômes, plongés dans le sommeil, n'entendaient plus rien.

Vers la fin de cette heure qui précède immédiate-ment le point du jour, un homme déboucha de la rue Saint-Antoine en courant, traversa la place et se glissa entre les palissades jusque sous le ventre de l'éléphant. Arrivé sous l'éléphant, il fit entendre un cri bizarre :

— Kirikikiou !

Une voix claire, gaie et jeune, répondit du ventre de l'éléphant :

— Oui.

Presque immédiatement, la planche qui fermait le trou se dérangea et donna passage à un enfant qui des-cendit le long du pied de l'éléphant et vint lestement tomber près de l'homme. C'était Gavroche. L'homme était Montparnasse.

— Nous avons besoin de toi, dit Montparnasse. Viens nous donner un coup de main.

Le gamin ne demanda pas d'autre éclaircissement.

— Me v'là, dit-il.

Et tous deux se dirigèrent vers la rue Saint-Antoine.

Les maraîchers, accroupis dans leurs voitures parmi les salades et les légumes, à demi assoupis, enfouis jusqu'aux yeux dans leurs roulières à cause de la pluie battante, ne regardaient même pas ces étranges passants.

8

Les péripéties de l'évasion

Voici ce qui avait eu lieu cette même nuit à la Force :

Une évasion avait été concertée entre Babet, Brujon, Gueulemer et Thénardier, quoique Thénardier fût au secret. Montparnasse devait les aider du dehors.

Brujon, ayant passé un mois dans une chambre de punition, avait eu le temps, premièrement d'y tresser une corde, deuxièmement, d'y mûrir un plan.

Brujon donc avait songé, et il était sorti de la chambre de punition avec une corde. Comme on le réputait fort dangereux dans la cour Charlemagne, on le mit dans le Bâtiment-Neuf. La première chose qu'il trouva dans le Bâtiment-Neuf, ce fut Gueulemer, la seconde, ce fut un clou ; Gueulemer, c'est-à-dire le crime, un clou, c'est-à-dire la liberté.

Brujon était, avec une apparence de complexion délicate et une langueur profondément préméditée, un gaillard poli, intelligent et voleur qui avait le regard caressant et le sourire atroce.

Le Bâtiment-Neuf, qui était tout ce qu'on pouvait voir au monde de plus lézardé et de plus décrépit, était le point faible de la prison.

Le Bâtiment-Neuf contenait quatre dortoirs superposés et un comble qu'on appelait le Bel-Air.

Gueulemer et Brujon étaient dans le même dortoir. On les avait mis par précaution dans l'étage d'en bas.

Thénardier se trouvait précisément au-dessus de leur tête dans ce comble qualifié de Bel-Air. C'était une espèce de grande halle mansardée, fermée de triples grilles et de portes doublées de tôle. Quand on y entrait par l'extrémité nord, on avait à sa gauche les quatre lucarnes, et à sa droite, faisant face aux lucarnes, quatre cages carrées, construites jusqu'à hauteur d'appui en maçonnerie et le reste jusqu'au toit en barreaux de fer.

Thénardier était au secret dans une de ces cages, depuis la nuit du 3 février. On n'a jamais pu découvrir comment, et par quelle connivence, il avait réussi à s'y procurer et à y cacher une bouteille de ce vin auquel se mêle un narcotique[1] et que la bande des *Endormeurs* a rendu célèbre.

Il y a dans beaucoup de prisons des employés

_____
1. Somnifère.

traîtres, mi-partis geôliers et voleurs, qui aident aux évasions, qui vendent à la police une domesticité infidèle, et qui font danser l'anse du panier à salade[1].

Dans cette même nuit donc, où le petit Gavroche avait recueilli les deux enfants errants, Brujon et Gueulemer, qui savaient que Babet, évadé le matin même, les attendait dans la rue ainsi que Montparnasse, se levèrent doucement et se mirent à percer avec le clou que Brujon avait trouvé le tuyau de cheminée auquel leurs lits touchaient. Les gravois tombaient sur le lit de Brujon, de sorte qu'on ne les entendait pas. Les giboulées mêlées de tonnerre ébranlaient les portes sur leurs gonds et faisaient dans la prison un vacarme affreux et utile. Ceux des prisonniers qui se réveillèrent firent semblant de se rendormir et laissèrent faire Gueulemer et Brujon. Brujon était adroit ; Gueulemer était vigoureux. Avant qu'aucun bruit fût parvenu au surveillant couché dans la cellule grillée qui avait jour sur le dortoir, le mur était percé, la cheminée escaladée, le treillis de fer qui fermait l'orifice supérieur du tuyau forcé, et les deux redoutables bandits sur le toit.

La pluie et le vent redoublaient, le toit glissait.

Un abîme de six pieds de large et de quatre-vingts pieds de profondeur les séparait du mur de ronde. Au fond de cet abîme ils voyaient reluire dans l'obscurité le fusil d'un factionnaire. Ils attachèrent par un bout

---

1. Se dit d'un domestique qui fait payer à son patron les commissions plus cher que le prix payé. Ici le panier est le « panier à salade » de la police.

aux tronçons des barreaux de la cheminée qu'ils venaient de tordre la corde que Brujon avait filée dans son cachot, lancèrent l'autre bout par-dessus le mur de ronde, franchirent d'un bond l'abîme, se cramponnèrent au chevron du mur, l'enjambèrent, se laissèrent glisser l'un après l'autre le long de la corde sur un petit toit qui touche à la maison des bains, ramenèrent leur corde à eux, sautèrent dans la cour des bains, la traversèrent, poussèrent le vasistas du portier, auprès duquel pendait son cordon, tirèrent le cordon, ouvrirent la porte cochère, et se trouvèrent dans la rue.

Quelques instants après ils avaient rejoint Babet et Montparnasse qui rôdaient dans les environs.

En tirant la corde à eux, ils l'avaient cassée, et il en était resté un morceau attaché à la cheminée sur le toit.

Cette nuit-là, Thénardier était prévenu, sans qu'on ait pu éclaircir de quelle façon, et ne dormait pas.

Vers une heure du matin, la nuit étant très noire, il vit passer sur le toit, dans la pluie et dans la bourrasque, devant la lucarne qui était vis-à-vis de sa cage, deux ombres. L'une s'arrêta à la lucarne le temps d'un regard. C'était Brujon. Thénardier le reconnut et comprit. Cela lui suffit.

Thénardier avait obtenu la permission de conserver une espèce de cheville en fer dont il se servait pour clouer son pain dans une fente de la muraille, « afin, disait-il, de le préserver des rats ». Comme on gardait Thénardier à vue, on n'avait point trouvé d'inconvénient à cette cheville.

À deux heures du matin on vint changer le faction-naire[1] qui était un vieux soldat, et on le remplaça par un conscrit[2]. Deux heures après, à quatre heures, quand on vint relever le conscrit, on le trouva endormi et tombé à terre comme un bloc près de la cage de Thénardier. Quant à Thénardier, il n'y était plus. Ses fers brisés étaient sur le carreau. Il y avait un trou au plafond de sa cage, et au-dessus, un autre trou dans le toit. Une planche de son lit avait été arrachée et sans doute emportée, car on ne la retrouva point. On sai-sit aussi dans la cellule une bouteille à moitié vidée qui contenait le reste du vin stupéfiant avec lequel le sol-dat avait été endormi. La bayonnette du soldat avait disparu.

Thénardier, en arrivant sur le toit du Bâtiment-Neuf, avait trouvé le reste de la corde de Brujon qui pendait aux barreaux de la trappe supérieure de la cheminée, mais ce bout cassé étant beaucoup trop court, il n'avait pu s'évader par-dessus le chemin de ronde comme avaient fait Brujon et Gueulemer. Il était trois heures du matin.

Il attendait là, pâle, épuisé, désespéré.

Quatre heures sonnèrent. Thénardier tressaillit. Peu d'instants après, cette rumeur effarée et confuse qui suit une évasion découverte éclata dans la prison. Le bruit des portes qu'on ouvre et qu'on ferme, le grin-cement des grilles sur leurs gonds le tumulte du corps

1. Gardien.
2. Jeune soldat qui fait le service militaire.

de garde, les appels rauques des guichetiers, le choc des crosses de fusil sur le pavé des cours, arrivaient jusqu'à lui. Des lumières montaient et descendaient aux fenêtres grillées des dortoirs, une torche courait sur le comble du Bâtiment-Neuf, les pompiers de la caserne d'à côté avaient été appelés. Leurs casques, que la torche éclairait dans la pluie, allaient et venaient le long des toits. En même temps Thénardier voyait du côté de la Bastille une nuance blafarde blanchir lugubrement le bas du ciel.

Dans cette angoisse, il vit tout à coup, la rue étant encore tout à fait obscure, un homme qui se glissait le long des murailles et qui venait du côté de la rue Pavée s'arrêter dans le renfoncement au-dessus duquel Thénardier était comme suspendu. Cet homme fut rejoint par un second qui marchait avec la même précaution, puis par un troisième, puis par un quatrième.

Thénardier vit passer devant ses yeux quelque chose qui ressemblait à l'espérance, ces hommes parlaient argot.

Il n'osait les appeler, un cri entendu pouvait tout perdre, il eut une idée, une dernière, une lueur ; il prit dans sa poche le bout de la corde de Brujon qu'il avait détaché de la cheminée du Bâtiment-Neuf, et le jeta dans l'enceinte de la palissade.

Cette corde tomba à leurs pieds.

— L'aubergiste est là, dit Montparnasse.

Ils levèrent les yeux. Thénardier avança un peu la tête.

— Vite ! dit Montparnasse, as-tu l'autre bout de la corde, Brujon ?

— Oui.

— Noue les deux bouts ensemble, nous lui jetterons la corde, il la fixera au mur, il en aura assez pour descendre.

Thénardier se risqua à élever la voix.

— Je suis transi. Je ne puis plus bouger.

— Tu te laisseras glisser, nous te recevrons.

— J'ai les mains gourdes.

— Noue seulement la corde au mur.

— Je ne pourrai pas.

— Il faut que l'un de nous monte, dit Montparnasse.

— Trois étages ! fit Brujon.

Un ancien conduit de cheminée rampait le long du mur et montait presque jusqu'à l'endroit où l'on apercevait Thénardier. Ce conduit lézardé et tout crevassé était fort étroit.

— On pourrait monter par là, fit Montparnasse.

— Par ce tuyau ? s'écria Babet, un orgue jamais ! il faudrait un mion.

— Il faudrait un môme, reprit Brujon.

— Où trouver un moucheron ? dit Gueulemer.

— Attendez, dit Montparnasse. J'ai l'affaire.

Il entrouvrit doucement la porte de la palissade, s'assura qu'aucun passant ne traversait la rue, sortit avec précaution, referma la porte derrière lui et partit en courant dans la direction de la Bastille.

Sept ou huit minutes s'écoulèrent, huit mille siècles pour Thénardier. Enfin, Montparnasse parut, essoufflé, et amenant Gavroche. La pluie continuait de faire la rue complètement déserte.

Le petit Gavroche regarda ces figures de bandits d'un air tranquille. L'eau lui dégouttait des cheveux. Gueulemer lui adressa la parole.

— Mioche, es-tu un homme ?

Gavroche haussa les épaules et répondit :

— Un môme comme mézig[1] est un orgue[2], et des orgues comme vousailles[3] sont des mômes Qu'est-ce qu'il vous faut ? dit Gavroche.

Montparnasse répondit :

— Grimper par ce conduit avec cette veuve. Il y a un homme là-haut à sauver.

Le gamin se dirigea vers le conduit où il était facile d'entrer grâce à une large crevasse qui touchait au toit. Au moment où il allait monter, Thénardier, qui voyait le salut et la vie s'approcher, se pencha au bord du toit. Gavroche le reconnut.

— Tiens ! dit-il, c'est mon père !... Oh ! cela n'empêche pas.

Et prenant la corde dans ses dents, il commença résolument l'escalade.

Un moment après, Thénardier était dans la rue.

Dès qu'il eut touché le pavé, dès qu'il se sentit hors

1. Moi.
2. Homme (argot).
3. Vous (argot).

du danger, il ne fut plus ni fatigué, ni transi, ni tremblant. Toute cette étrange et féroce intelligence se
réveilla et se trouva debout et libre, prête à marcher
devant elle. Voici quel fut le premier mot de cet
homme :

— Maintenant qui allons-nous manger ?

Il est inutile d'expliquer le sens de ce mot affreuse-
ment transparent qui signifie tout à la fois tuer, assassiner et dévaliser. *Manger,* sens vrai : *dévorer.*

— Rencognons-nous[1] bien, dit Brujon. Finissons
en trois mots, et nous nous séparerons tout de suite.
Il y avait une affaire qui avait l'air bonne rue Plumet,
une rue déserte, une maison isolée, une vieille grille
pourrie sur un jardin, des femmes seules.

— Eh bien ! pourquoi pas ? demanda Thénardier.

Cependant aucun de ces hommes n'avait plus l'air
de voir Gavroche qui, pendant ce colloque[2], s'était
assis sur une des bornes de la palissade ; il attendit
quelques instants, puis il remit ses souliers et dit :

— C'est fini ? vous n'avez plus besoin de moi, les
hommes ? vous voilà tirés d'affaire. Je m'en vas. Il faut
que j'aille lever mes mômes.

Les cinq hommes sortirent l'un après l'autre de la
palissade.

Quand Gavroche eut disparu au tournant de la rue
des Ballets, Babet prit Thénardier à part.

— As-tu regardé ce mion ? lui demanda-t-il.

---

1. Serrons-nous.
2. Conversation.

— Quel mion ?

— Le mion qui a grimpé au mur et t'a porté la corde.

— Pas trop.

— Eh bien, je ne sais pas, mais il me semble que c'est ton fils.

— Bah ! dit Thénardier, crois-tu ?

L'un des plus grands romans de la littérature française : voilà ce qu'est *Les Misérables*, cette grande fresque qui met en scène des personnages issus des bas-fonds de la société. Bagnards, opprimés, pauvres gens, mais aussi les brigands qui hantent le Paris de la première moitié du XIXᵉ siècle. « Tant qu'il y aura sur terre ignorance et misère, des livres de la nature de celui-ci pourront ne pas être inutiles », écrivait Victor Hugo dans sa préface. Roman social, roman historique, roman sentimental, roman policier, *Les Misérables* rassemble à lui seul tout ce qui compose les tendances de ce genre qui se développe spectaculairement à son époque. Des scènes inoubliables – la rencontre de Cosette et de Jean Valjean dans la forêt, par exemple, – nous rappellent l'univers du conte de fées. Les personnages sont grandis par des aventures qui nous émeuvent profondément, et parce qu'ils sont infiniment humains. Certains, comme Jean Valjean, connaissent les affres de la souffrance que leur inflige la société, le doute qui les traverse lorsque la morale se heurte à la loi. D'autres nous font tressaillir par leur cruauté et leur cynisme insondables ; d'autres encore nous marquent lorsqu'ils sont pris par le remords qui fait suite à la haine. C'est aussi la langue de Victor Hugo que nous retenons : elle est riche d'images très fortes qui illustrent la force de la lutte entre le Bien auquel beaucoup aspirent et le Mal qui ronge la société et fait déchoir les hommes. Victor Hugo n'hésite pas non plus à introduire un langage qui a rarement cours dans les romans : l'argot, la « langue de la misère ». *Les Misérables* est une sorte de roman total qui unit la poésie du plus grand des poètes romantiques et la langue de ceux à qui il donne enfin la parole.

VICTOR HUGO

Victor Hugo, né à Besançon en 1802, domine le XIX⁰ siècle et l'histoire de la littérature française, par la fécondité de son génie et la diversité de son œuvre. Créateur du drame moderne, d'*Hernani* (1830) à *Ruy Blas* (1838), c'est aussi un extraordinaire romancier dans ces fresques où se mêlent le sublime et le grotesque : *Notre-Dame de Paris* (1831), *Les Misérables* (1862) et *Les Travailleurs de la mer* (1866).

Poète lyrique, il a abordé tous les thèmes et tous les tons, des premières *Odes* de 1822 à *L'Art d'être grand-père* (1877), des *Contemplations* (1856) à *La Légende des siècles* (1859). « Écho sonore » de tout un siècle, ce fut aussi un pamphlétaire redoutable, plaidant contre l'injustice sociale et participant aux débats politiques de son temps. Exilé de 1851 à 1870 à Jersey et Guernesey (*Les Châtiments*, 1853), il rentre triomphalement à Paris à la proclamation de la Troisième République.

Sa mort, en 1885, donne lieu à des funérailles nationales.

TABLE

8. De la manière d'entrer au couvent   7
9. Où Jean Valjean se fait enterrer vivant   23
10. Interrogatoire réussi   35

TROISIÈME PARTIE. MARIUS

1. Le petit Gavroche   43
2. Le brigand de la Loire   47
3. Comment on devient républicain   55
4. Les amis de l'A.B.C.   65
5. Marius pauvre   71
6. Commencement d'une grande maladie   77
7. Babet, Gueulemer, Claquesous et
    Montparnasse   87

8.   Une rose dans la misère   91
9.   Elle !   101
10. Offres de service de la misère à la dou-
     leur   111
11. Où l'on voit réapparaître Javert   121
12. Emploi de la pièce de cinq francs de
     Marius   129
13. Le guet-apens   139
14. On devrait toujours commencer par
     arrêter les victimes   165

QUATRIÈME PARTIE. L'IDYLLE RUE PLUMET ET L'ÉPOPÉE RUE SAINT-DENIS

1.   La promesse d'Éponine   173
2.   La maison à secret   183
3.   La bataille commence   191
4.   Peurs de Cosette   203
5.   Les vieux sont faits pour sortir à pro-
     pos   211
6.   Méchante espièglerie du vent   217
7.   L'éléphant de la Bastille   229
8.   Les péripéties de l'évasion   239